The Battleship
YAMATO and MUSASHI

呉市海事歴史科学館図録 日本海軍艦艇写真集別巻
Selected Photos from the Archives of the Kure Maritime Museum　The Japanese Naval Warship Photo Album, Supplemental Volume

戦艦大和・武蔵

呉市海事歴史科学館編
Edited by the Kure Maritime Museum

戸髙一成監修
Supervised by Kazushige Todaka

ダイヤモンド社

まえがき

　呉市海事歴史科学館は、開館にあたり、その愛称を公募したところ、大和ミュージアムの名をいただいた。まさに、世界一の戦艦大和を建造した呉市ならではの命名である。大和は呉のシンボルであるとともに、日本のシンボルでもある。明治維新からわずか70数年で世界一の戦艦を設計し、建造することができたという事実は、驚くべきことであり、素直に誇って良いことであろう。

　大和ミュージアムでは、これらの技術的成果を収めた先人の努力の跡を、多くの実物資料と文献で紹介することを目的とし、同時に技術の未来に対する展望を提示できる施設となっている。その中心の一つとなっているのは、呉海軍工廠などで建造された多くの艦艇の建造記録と写真などであり、これら艦艇に関する造船資料に関しては、事実上世界有数の内容を持っている。今後は、これら貴重な資料の保存と公開を行うが、まず、大和ミュージアムとしては、館所蔵の大和・武蔵関連の写真と図面資料の一部で図録を作成し刊行することとした。公式写真の多くはオリジナルプリントであり、その鮮明度は素晴らしいものがある。これらは、大和型の詳細を検討できるように、拡大写真をあわせ掲載した。また、従来あまり公開されることのなかった、個人的な記念写真なども極力掲載した。これは、大和が単なる鋼鉄の箱ではなく、多くの人間が生命を託した、生きた建造物であったことを知るためであり、またその写真の背後に、多くの技術的情報が読み取れるからでもある。

　大和の同型艦武蔵については、公試に同乗した堀内康雄氏（造船）の撮影になる貴重な写真がある。この一連の写真は特に貴重であるので、似通ったアングルや、ややピンボケの写真を含めて、堀内氏が撮影した19コマを全て掲載した。この19コマに関しては、以前ネガフィルムで確認したので、残念ながらこれ以外には撮影されていない。

　巻末には、館所蔵の大和型の図面を一部掲載した。これらは全くのオリジナルであり、多くが初めて公開される資料である。ちなみに、大和ミュージアムのメインフロアには、10分の1大和が展示されているが、この建造にあたっては、これら原資料が全面的に利用されている。

　今回の図録は、別途刊行される艦種別図録と同様、解説は最小限とされているが、順次十分な検討を加えてゆく予定である。

The Japanese Naval Warship Photo Album　Supplemental Volume
The Battleship Yamato and Musashi

日本海軍艦艇写真集別巻　戦艦大和・武蔵　　目次

Contents

掲載写真について 4

大和 7

武蔵 47

艦上での記念撮影 83

大和型建造資料 103

大和・武蔵　要目・艦歴一覧 137

掲載写真について

　当図録において掲載した写真は、呉海軍工廠が公式に艦艇の建造記録として撮影したものと、個人の撮影になるものとから成っている。公式写真は主に建造記録と公試運転の記録であり、極秘の扱いとなっていたものである。これら記録写真は起工式から竣工引き渡しまでの建造プロセスを全て撮影することが原則とされ、大型艦では、一隻について数千枚が撮影されていたと推定されている。明治大正期においては、六つ切り、あるいは四つ切りの大型ガラス乾板で撮影され、密着プリントが保存印画とされていた。昭和に入ってガラス乾板はキャビネ判などが多くなったが、それでもベテラン写真部員の手になる記録写真の精度は高く、今日なおその鮮明度は驚嘆に値するものがある。惜しむらくは、これら貴重な歴史記録は、昭和20年8月の終戦時において、ほとんどが焼却され失われたために、今日その一部のみが残されているにすぎないことである。

　次いで個人的に撮影された写真であるが、基本的に撮影を厳禁されていたために、残された写真は極めて少ない。当館所蔵の写真は、海軍技術少佐であった故福井静夫氏が生涯をかけたコレクションを中心に、多くの関係者から提供を受けたものである。

　今回の図録作成にあたっては、当館の所蔵する2万余の日本海軍艦艇写真のうち、大和型のほとんどを収録した。中でも堀内康雄技術少佐が職務上撮影した戦艦武蔵公試中の艦上スナップは、重要であるので、近似アングルやピンボケをも厭わず、撮影された19コマの全てを収録した。それぞれの写真については、館の管理番号、艦名、艦型、撮影年月日、撮影場所等を掲載した。これら写真については、提供者あるいは入手先などをはじめ、それぞれ詳細な考証を加えて注記し、データベース化を進めているが、今回は上記のように所蔵写真の基礎データを注記するにとどめた。今後、館の事業として、全ての所蔵写真をリスト化し、全写真図録を刊行することを考えている。ただ、その際には、全ての写真は極めて小さな扱いになることはやむを得ないので、写真としての検討、また、その美しさを鑑賞するには、今回の図録の存在が必要となると考えている。

　なお、写真は歴史資料という認識から、傷、汚れも、現在ある姿のままで製版し、修正などを加えてはいない。中に数点印刷物からの複写写真があるが、これは現在印刷物しか存在しないと思われている写真であり、当館でも原画を所蔵していないためである。これらの原画は現在も所在を調査している。

　また、はなはだ鮮明度に欠ける写真も収録したが、これらは大和型の写真が極めて少ないことから、たとえ不鮮明であっても、何らかのデータを読み取ることが可能であると考えたからである。さらに、艦艇写真と言いながら、多くの艦上記念写真を収録しているのも同じ理由である。この記念写真の中には、今回初めて印刷物で公開されるものも含まれており、これら写真には極めて多くの技術情報が含まれているのである。

　最後に、写真集ではあるが、大和型戦艦の資料として、従来出版されることのなかった当館所蔵の大和設計図の一部を巻末に加えた。いまだにその全貌が解明されていない大和型戦艦の姿を明らかにする資料の一部として、今回の図録の果たす役割は小さいものではないと考えている。

　昭和20年の海軍の消滅により、海軍に関わる歴史資料、技術資料は民間に散逸し、諸外国のように公的な機関で資料の保存公開を行うことがなかったために、日本の海軍研究には多くの制約があった。しかし、技術資料を中心として、このたび、呉市海事歴史科学館（大和ミュージアム）が開館したことにより、海軍技術資料の公開がスタートしたことには、大きな意味があると考えている。

呉市海事歴史科学館館長　戸髙一成

呉市海事歴史科学館図録　日本海軍艦艇写真集別巻

戦艦大和・武蔵

061424　昭和18年　トラック島泊地の大和（右、推定）と武蔵

大和

大和 YAMATO 大和型

昭和16年9月20日　呉工廠　工事を急ぐ大和。右は目かくしの空母鳳翔、遠方は給糧艦間宮

大和 YAMATO 大和型

艦橋（中央部拡大）

大和 YAMATO 大和型

46cm三連装三番主砲塔、後方15.5cm三連装後部副砲塔（拡大）

大和 YAMATO 大和型
071320
左舷最上甲板中央部（拡大）

大和 YAMATO 大和型

昭和15年6月3日　呉工廠　一番、二番主砲塔旋回盤積込作業

大和 YAMATO 大和型

昭和15年6月3日　呉工廠　主砲塔旋回盤転倒作業

大和 YAMATO 大和型

昭和15年6月3日　呉工廠　主砲塔旋回盤転倒作業

大和 YAMATO 大和型

昭和15年6月3日　呉工廠　主砲塔旋回盤転倒作業の終了

大和 YAMATO 大和型

昭和16年10月30日　宿毛沖標柱間で全力公試中

大和 YAMATO 大和型
巡洋艦のようなラインを持った艦首（前部拡大）

061466 大和 YAMATO 大和型
機能の集中を計った艦橋まわり（中央部拡大）

大和 YAMATO 大和型
独特の航空機用設備を持った艦尾（後部拡大）

大和 YAMATO 大和型

昭和16年10月20日　荒天の宿毛沖標柱間で全力公試中

大和 YAMATO 大和型

昭和16年10月20日　荒天の宿毛沖標柱間で全力公試中（後部拡大）

大和 YAMATO 大和型

昭和16年10月20日　荒天の宿毛沖標柱間で全力公試中（中央部拡大）

大和 YAMATO 大和型

昭和16年10月20日　荒天の宿毛沖標柱間で全力公試中（前部拡大）

大和 YAMATO 大和型
071393
昭和16年10月30日　宿毛沖標柱間で全力公試中

大和 YAMATO 大和型
昭和16年10月30日　宿毛沖標柱間で全力公試中（後部拡大）

大和 YAMATO 大和型

昭和16年10月30日　宿毛沖標柱間で全力公試中（中央部拡大）

大和 YAMATO 大和型
昭和16年10月30日　宿毛沖標柱間で全力公試中（前部拡大）

大和 YAMATO 大和型
昭和16年10月26日　宿毛沖標柱間で全力公試中

大和 YAMATO 大和型

昭和16年10月26日　宿毛沖標柱間で全力公試中（中央部拡大）

大和 YAMATO 大和型

昭和16年10月30日　宿毛沖標柱間で全力公試中

大和 YAMATO 大和型

昭和16年10月30日　宿毛沖標柱間で全力公試中

大和 YAMATO 大和型
昭和18年　トラック島泊地

071470 **大和** YAMATO 大和型

昭和18年　トラック島泊地（後部拡大）

大和 YAMATO 大和型

昭和18年　トラック島泊地（中央部拡大）

071470 **大和** YAMATO 大和型

昭和18年　トラック島泊地（前部拡大）

大和 YAMATO 大和型

K-0002

昭和17年　トラック島泊地

K-0003 **大和** YAMATO 大和型

昭和18年　トラック島より横須賀へ向かう大和（画面上方の大きな黒点はオリジナル・ネガの傷）

大和 YAMATO 大和型

昭和18年夏　柱島（推定）　上空は九七式艦上攻撃機

大和 YAMATO　武蔵 MUSASHI 大和型

（上）昭和18年6月　館山沖の武蔵　左方山城
（左）昭和18年夏　柱島　遠方に大和　中央は武蔵

061423 大和 YAMATO 大和型

昭和19年10月24日 シブヤン海 米機の攻撃を受ける大和

Y-0001 **大和** YAMATO 大和型

昭和19年10月24日　シブヤン海　米機の攻撃を受ける大和

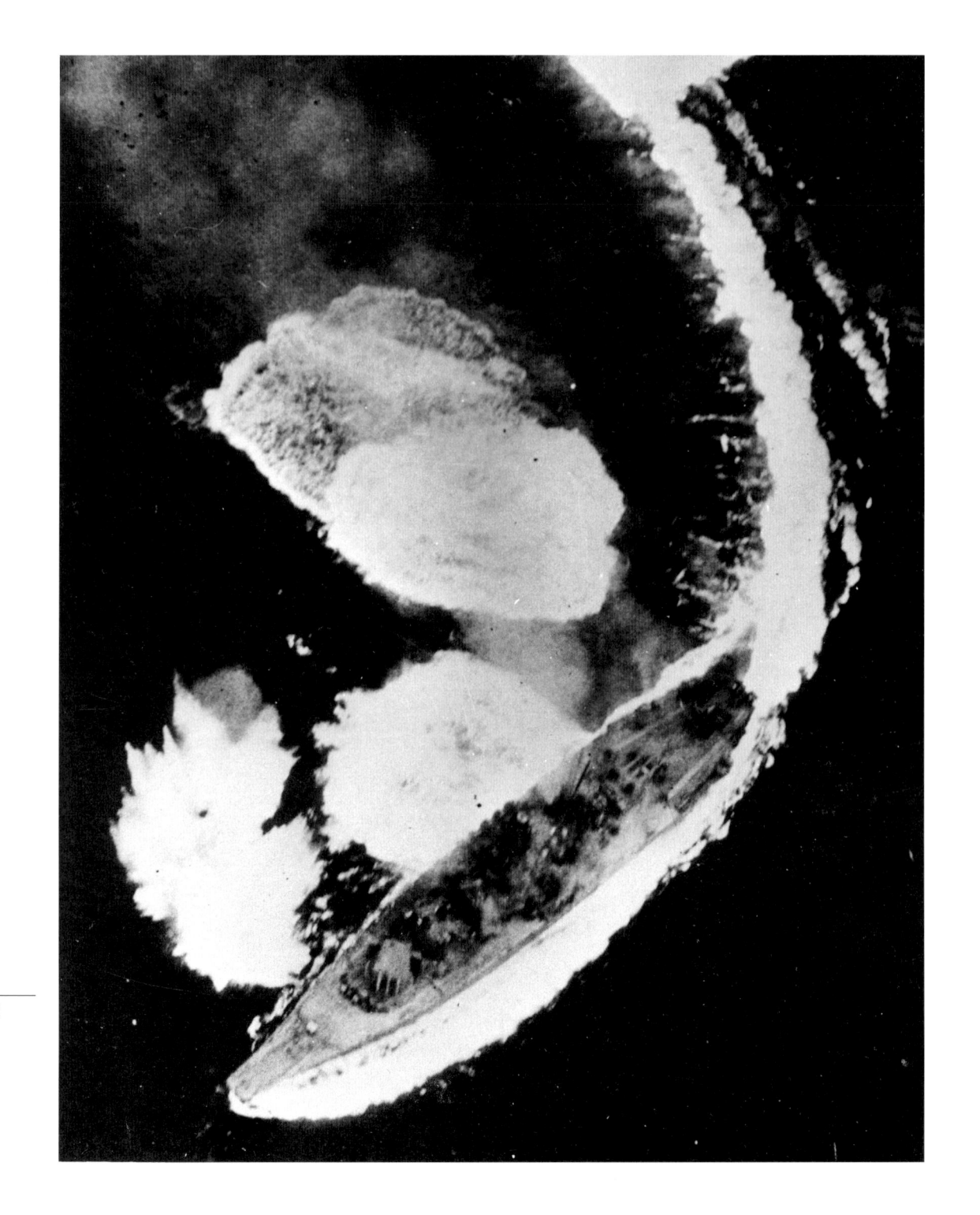

061414 大和 YAMATO 大和型

昭和20年3月19日　広島湾　米機の攻撃を受ける大和

大和 YAMATO 大和型

昭和20年4月7日 沖縄に向かう大和

Y-0002 大和 YAMATO 大和型
昭和20年4月7日　沖縄に向かう途中、米機の攻撃を受ける大和

Y-0003 **大和** YAMATO 大和型

昭和20年4月7日　徳之島沖、米機の攻撃で爆沈した大和

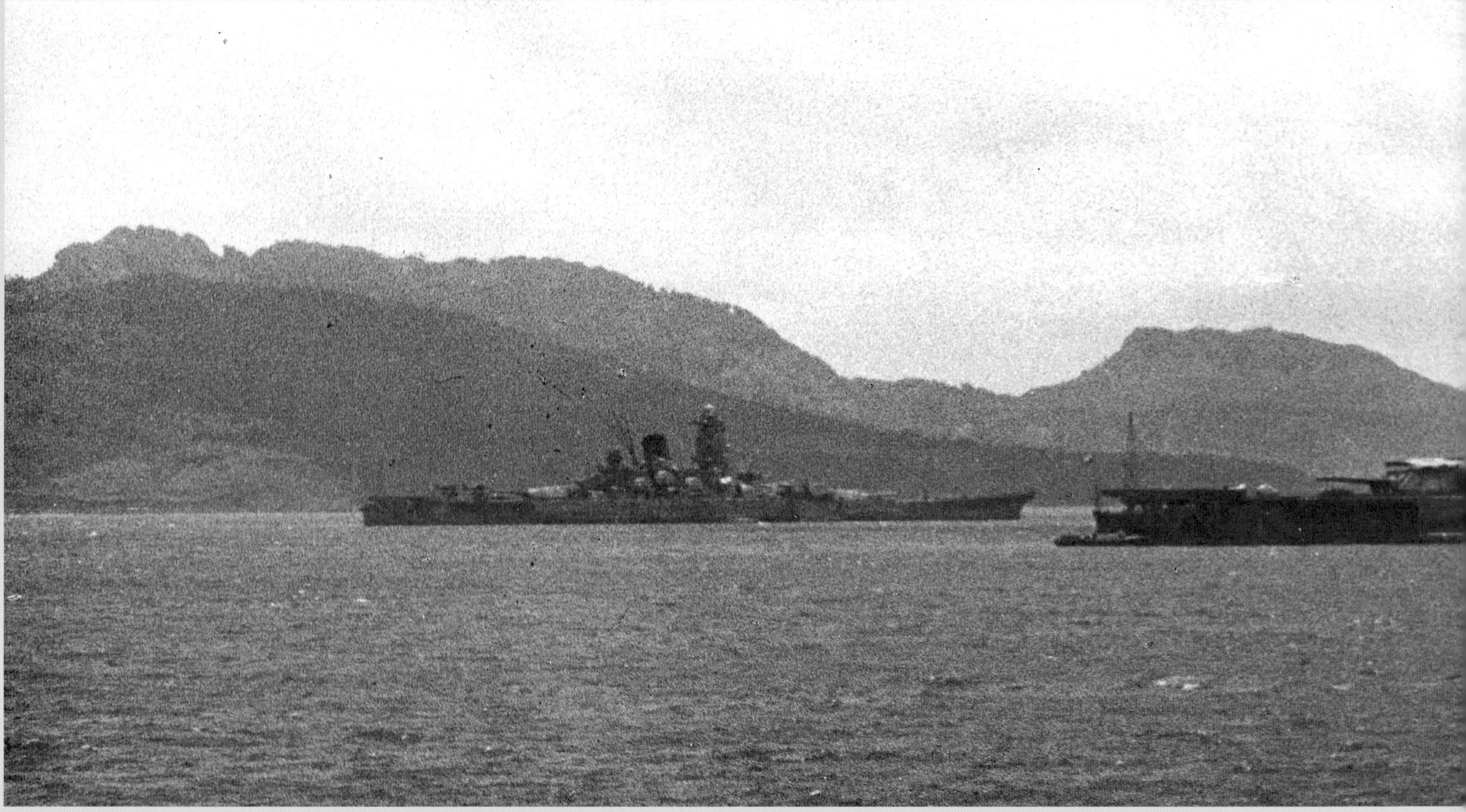

Y-0004　昭和18年　トラック島泊地の大和（左）と武蔵

武蔵

武蔵 MUSASHI 大和型

昭和17年6〜7月　徳山〜呉間で公試中

武蔵 MUSASHI 大和型

昭和17年6〜7月　徳山〜呉間で公試中

武蔵 MUSASHI 大和型

昭和17年6〜7月　徳山〜呉間で公試中

061461 **武蔵** MUSASHI 大和型

昭和17年6〜7月　徳山〜呉間で公試中

武蔵 MUSASHI 大和型

昭和17年6〜7月　徳山〜呉間で公試中

武蔵 MUSASHI 大和型
061464

昭和17年6〜7月　徳山〜呉間で公試中

071181 **武蔵** MUSASHI 大和型

昭和17年6～7月　徳山～呉間で公試中

071328 **武蔵** MUSASHI 大和型
昭和17年6〜7月　徳山〜呉間で公試中

武蔵 MUSASHI 大和型

071326

昭和17年6～7月　徳山～呉間で公試中

武蔵 MUSASHI 大和型
061453
昭和17年6～7月　徳山～呉間で公試中

武蔵 MUSASHI 大和型

昭和17年6〜7月　徳山〜呉間で公試中

071392 **武蔵** MUSASHI 大和型
艦橋部（拡大）

武蔵 MUSASHI 大和型

昭和17年6〜7月　徳山〜呉間で公試中

061455 **武蔵** MUSASHI 大和型

昭和17年6～7月　徳山～呉間で公試中

武蔵 MUSASHI 大和型

昭和17年6〜7月　徳山〜呉間で公試中

武蔵 MUSASHI 大和型

昭和17年6～7月　徳山～呉間で公試中

武蔵 MUSASHI 大和型

昭和17年6〜7月　徳山〜呉間で公試中

武蔵 MUSASHI 大和型
061457
昭和17年6～7月　徳山～呉間で公試中

武蔵 MUSASHI 大和型

昭和17年6〜7月　徳山〜呉間で公試中

武蔵 MUSASHI 大和型
061365
昭和17年6〜7月　徳山〜呉間で公試中

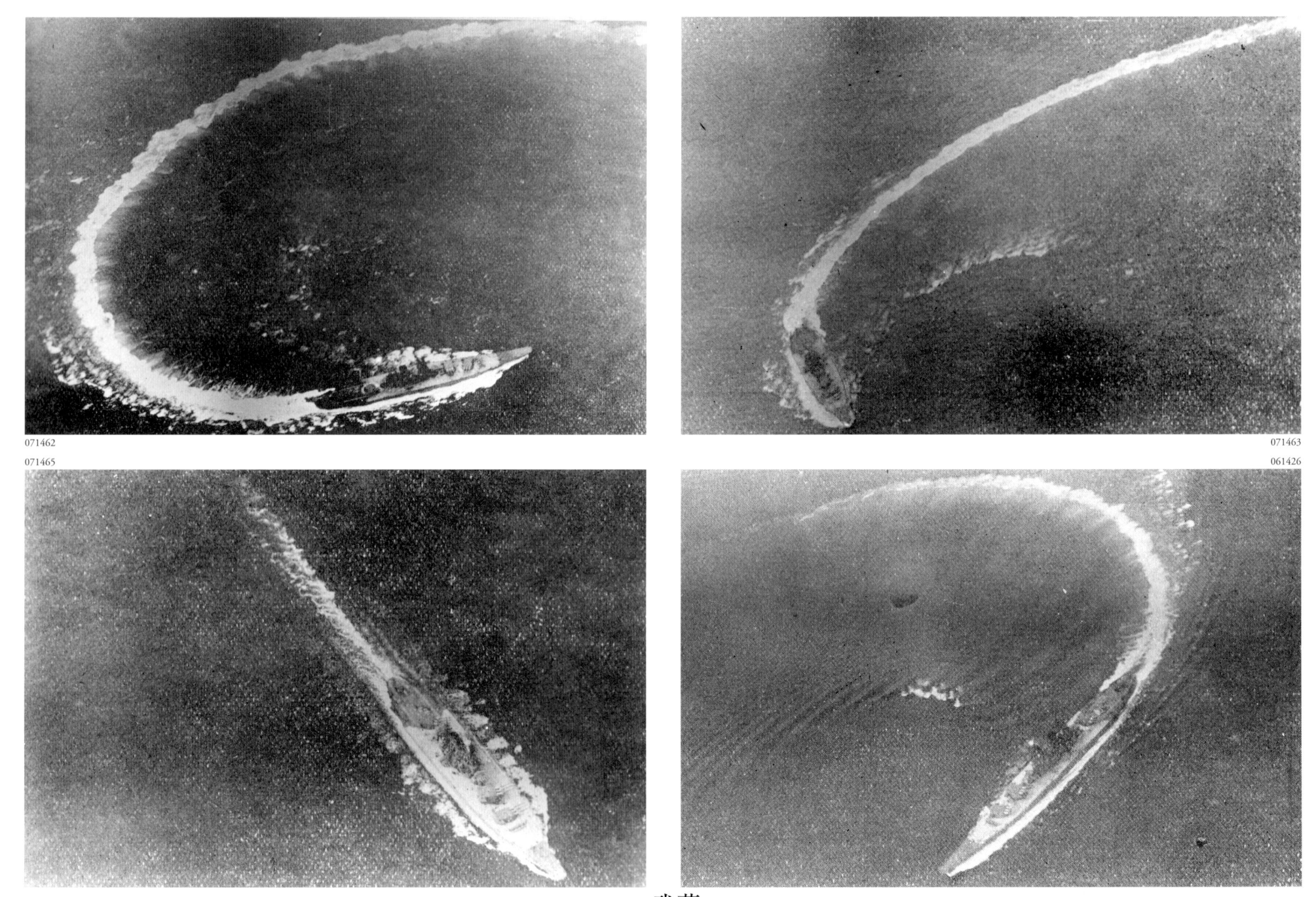

071462　071465　071463　071426　**武蔵** MUSASHI 大和型

昭和17年10月30日　旋回公試中

武蔵 MUSASHI 大和型

昭和17年9月下旬　21号電探装備実験中

受信空中線　　　　　　　　　　　令上（〃）　　　　　　　　　送信空中線

武蔵 MUSASHI 大和型
071330
昭和17年9月下旬　21号電探装備実験中（2枚の写真を張り合わせたもの）

武蔵 MUSASHI 大和型

K-0005　071332

昭和17年9月下旬　武蔵に装備した21号電探

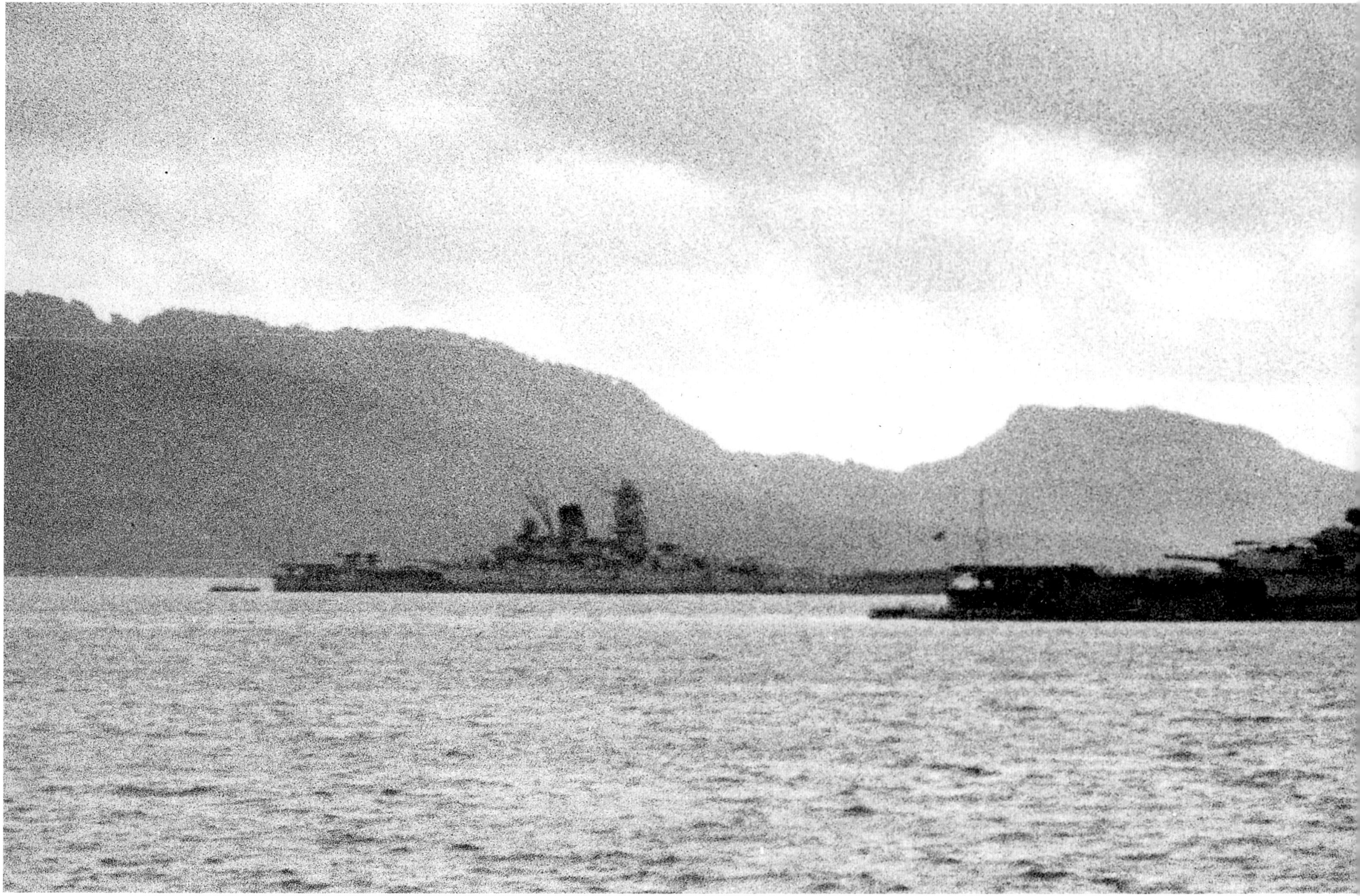

071333 **武蔵** MUSASHI 大和型
昭和18年　トラック島泊地　左は大和

武蔵 MUSASHI 大和型

昭和19年10月21日　ブルネイ湾　左から山城、最上、大和、扶桑、鳥海、武蔵

071466 **大和** YAMATO 大和型

昭和19年10月21日　左から最上、大和、扶桑（左頁中央部拡大）

武蔵 MUSASHI 大和型

昭和19年10月21日　ブルネイ湾　左から山城、大和、最上、武蔵

武蔵 MUSASHI 大和型
061368

昭和19年10月21日　ブルネイ湾　左から大和、最上、武蔵（左頁中央部拡大）

武蔵 MUSASHI 大和型

昭和19年10月22日　ブルネイ湾　レイテ湾に向けて出撃する長門、武蔵、大和（右から順に）

061429 武蔵 MUSASHI 大和型

昭和19年10月22日　ブルネイ湾　レイテ湾に向けて出撃する武蔵

061439 武蔵 MUSASHI 大和型

昭和19年10月24日　シブヤン海　沈み行く武蔵

武蔵 MUSASHI 大和型

061369

昭和19年10月24日　シブヤン海　沈み行く武蔵（拡大）

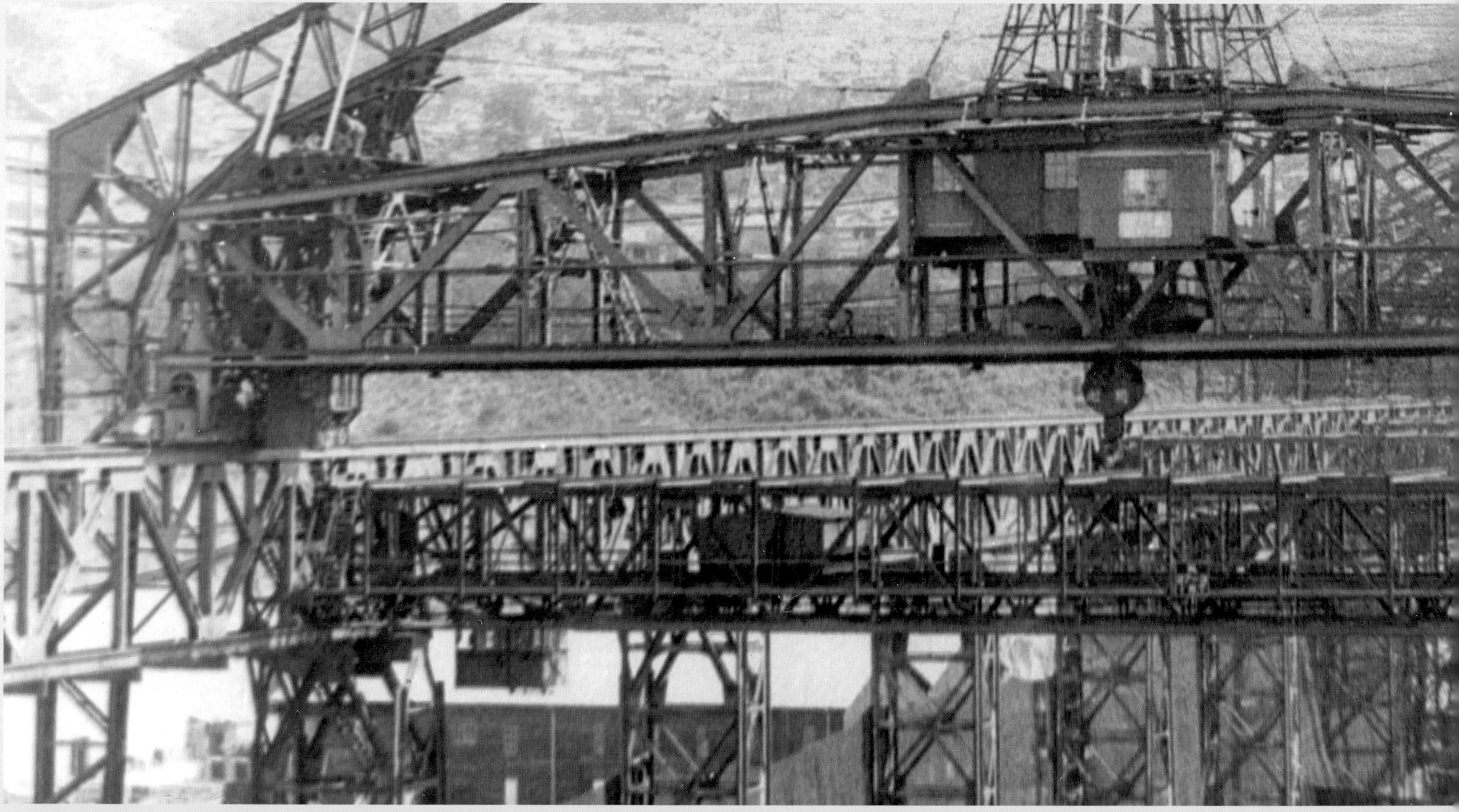

058056 大和を建造した呉海軍工廠造船船渠のクレーン

艦上での記念撮影

大和 YAMATO 大和型

昭和15年8月8日　呉海軍工廠造船船渠での大和進水式　砂川兼雄工廠長が支綱を切断した瞬間

057049
057050

057051
057053

057049 057050 057051 057053 　大和 YAMATO 大和型
大和進水式における薬玉

K-0008 K-0009 **大和** YAMATO 大和型

（左）昭和18年1月1日　大和前甲板に立つ山本五十六長官
（上）昭和18年　トラック島における連合艦隊幕僚

武蔵 MUSASHI 大和型

昭和18年　トラック島における古賀峯一長官と連合艦隊幕僚

武蔵 MUSASHI 大和型

昭和18年6月　武蔵に行幸した昭和天皇

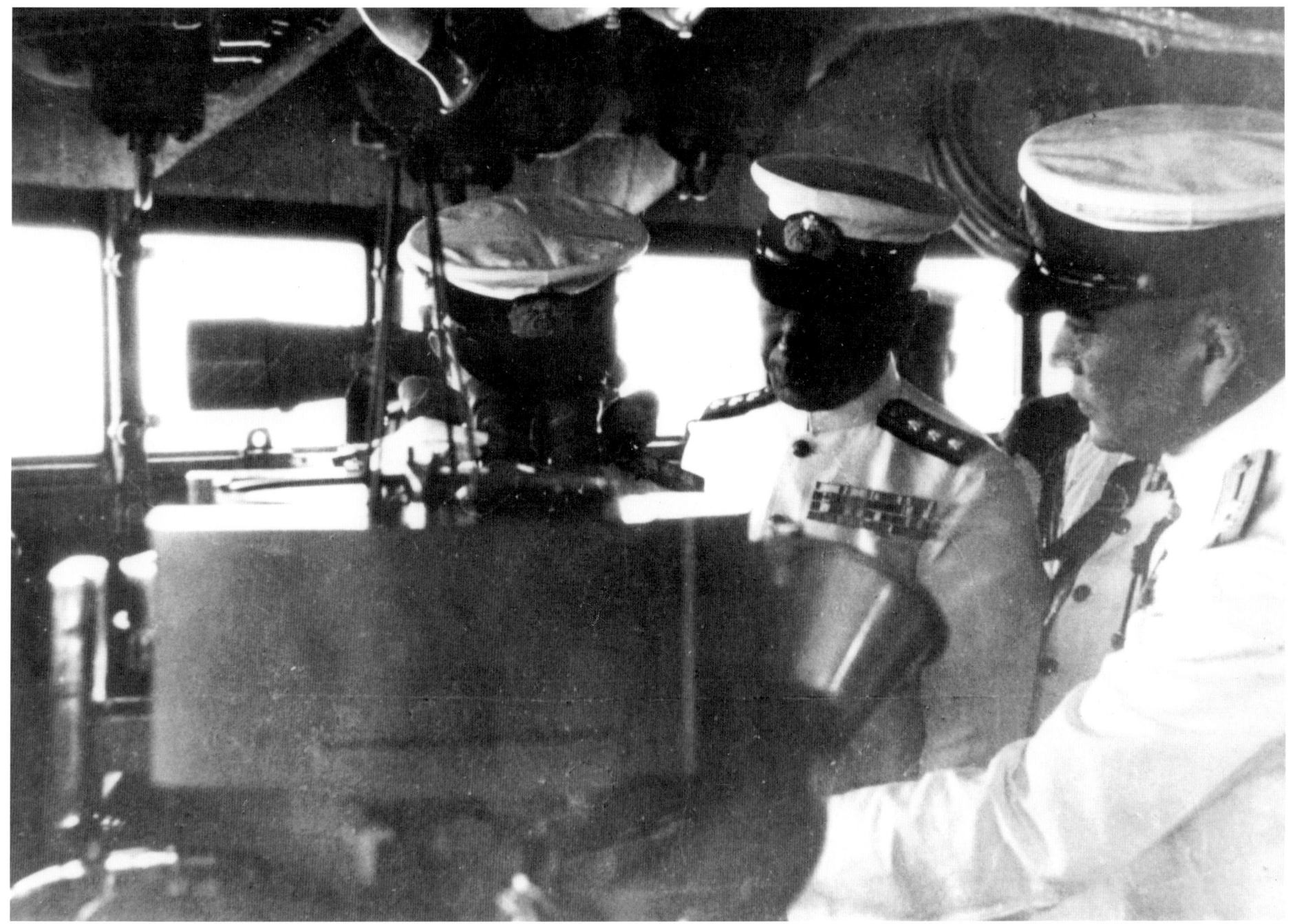

武蔵 MUSASHI 大和型

昭和18年6月　武蔵艦橋内の昭和天皇（左）、古賀峯一長官（中）、土肥一夫参謀（右）

武蔵 MUSASHI 大和型

昭和17年　柱島

武蔵 MUSASHI 大和型

昭和19年1月　トラック島

武蔵 MUSASHI 大和型

ジブクレーン下より見た零式観測機

大和 YAMATO 大和型

昭和20年1月4日　飛行機格納庫扉前　大和医科衛生部員

大和 YAMATO 大和型

（左）昭和20年3月　飛行機格納庫前　進級記念
（右）昭和20年　飛行機格納庫前　大和航海科4期予備学生

大和 YAMATO 大和型

K-0018

昭和20年　飛行機格納庫扉前　第12群25ミリ機銃員

大和 YAMATO 大和型

昭和20年1月　大和艦上の第二艦隊司令長官伊藤整一中将

057076 K-0020 **大和** YAMATO 大和型

昭和20年春　第二艦隊司令部幕僚

大和 YAMATO 大和型

昭和20年1月　大和士官室士官

大和 YAMATO 大和型

昭和20年1月　大和一次士官室士官

大和 YAMATO 大和型

昭和20年1月　大和二次士官室士官

057077 **大和** YAMATO 大和型

昭和20年1月　大和准士官室士官

061379 061380 061446

大和型建造資料

061379 061380 061446　日本海軍が作成した大和型の水上模型（3枚とも）

大和型の図面について

　今回の図録で公開される大和型の図面は、松本喜太郎資料と北木資料である。松本喜太郎氏は、戦艦大和の基本計画メンバー中最若年スタッフとして参加し、多くの資料を残された。同氏はこれを元に、戦後『戦艦大和設計と建造』を発表、これは後に他の論文と合わせてアテネ書房より再刊された。中でも重要な資料として今回掲載した中央断面図は、大和の最も重要な図面の一つであり、また機密度も高いものであった。このために松本氏は戦後もこの図を保存したことを誰にも告げなかった。松本氏の没後、資料は財団法人史料調査会によって保管されてきたが、その際筆者が整理に当たり、その整理の際に、この図が発見されたのである。この発見には、大和設計主任であった牧野茂氏や、福井静夫氏も口を揃えて「そんなものがあったのか」と驚いたほどであった。今回この図を含む松本氏の資料は、前記財団法人史料調査会から呉市海事歴史科学館へ管理を委託されることになった。これらは整理のうえで公開する予定である。

　次いで掲載される資料は、呉海軍工廠に勤務していた北木兼一氏が終戦時に保存し、後に呉市に寄贈した資料である。多くは前部艦橋と後部艦橋の図面で、資料の少ない大和型戦艦を知るためには、なくてはならない貴重な資料といえる。特に艦橋の基本構造に関わる資料は、改造でも変化しない部分であり、大和の理解に欠かせない資料である。これらの多くは、トレーシングクロスに烏口で墨入れされた第二原図であり、写真で言えばネガフィルムに当たるものである。一旦青焼きされた図面とは異なり、紙の伸縮による誤差も少なく、また線も薄れることがないので、極めて明瞭なものである。これら図面の中には、製図者の名前に西畑と書き込まれた図があるが、これは呉在住の西畑作太郎氏で、現在もなお矍鑠としておられ、たびたび貴重な指導を頂いている。

　大和型については、特に機密保持が厳格であったために、設計主任であった牧野茂氏（造船）の指示で、通常は作図される、艦の全体を通覧できる一般配置図を書かなかった。そればかりか、全ての図面を前部、中部、後部と三分割したために、極めて作業に不都合であったといわれている。また、終戦直後の資料の焼却も徹底的であったので、残存するものは極めて少なく、わずかな現存資料ではあるが、いずれもかけがえのない、貴重なものである。

戦艦大和一般配置図：本図は、終戦直後に米軍の指示によって、大和設計主任であった牧野茂技術大佐ほかの艦政本部第四部関係者が復元したものである。原図はブループリントであるが、ここでは反転して掲載した。

戦艦大和一般配置図　艦内側面図

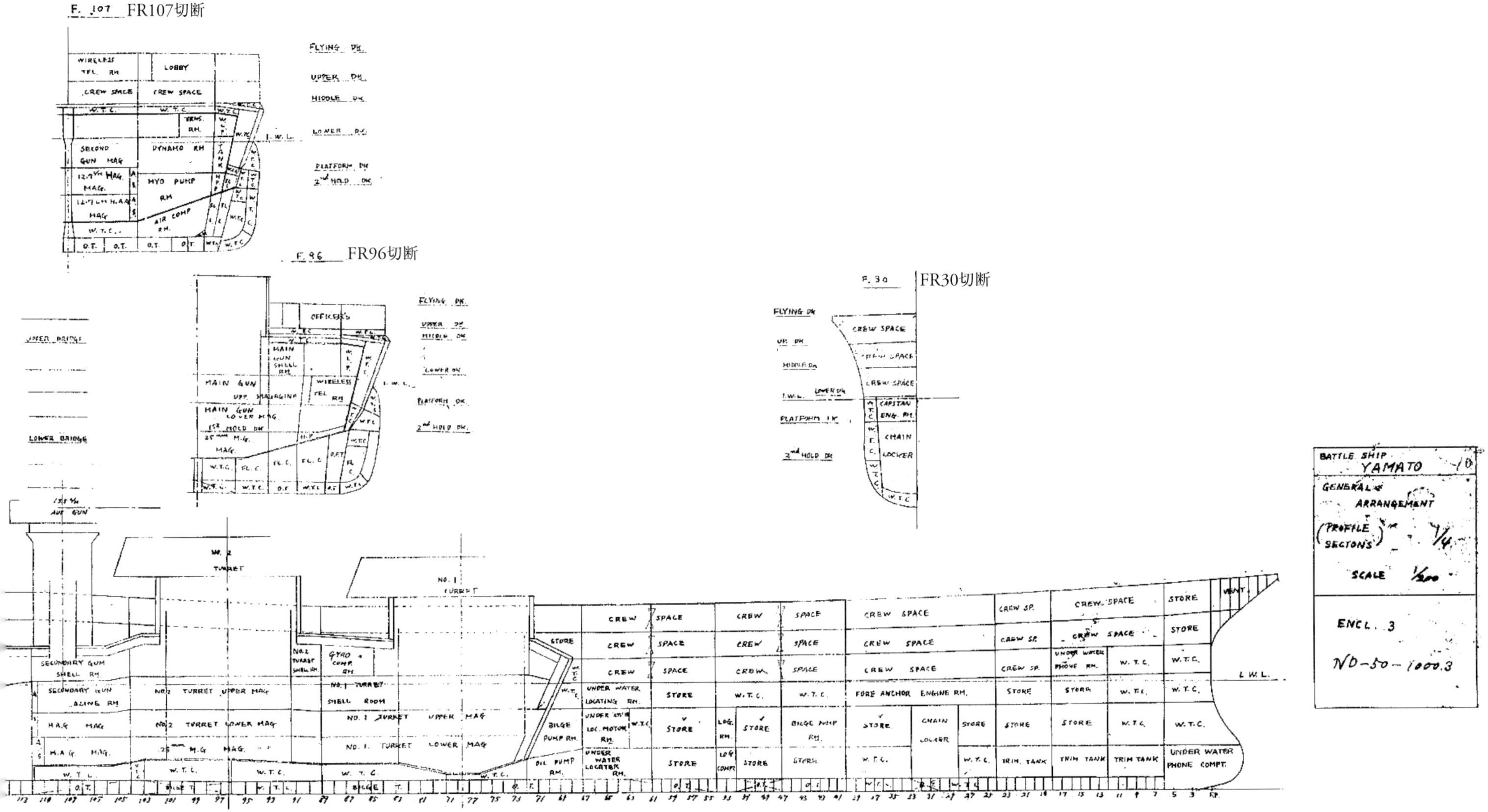

F. 107 FR107切断
F. 96 FR96切断
F. 30 FR30切断
FLYING DK.
UPPER DK.
MIDDLE DK.
LOWER DK.
PLATFORM DK.
2nd HOLD DK.
L. W. L.
WIRELESS TEL. RM.
LOBBY
CREW SPACE
W. T. C.
DYNAMO RM
SECOND GUN MAG
HYD PUMP RM
AIR COMP RM.
O.T.
OFFICER'S
MAIN GUN SHELL RM.
MAIN GUN UPP. MAGAZINE
WIRELESS TEL RM
MAIN GUN LOWER MAG.
UPPER BRIDGE
LOWER BRIDGE
CAPSTAN ENG. RM.
CHAIN LOCKER
No. 2 TURRET
No. 1 TURRET
SECONDARY GUN SHELL RM
SECONDARY GUN MAGAZINE RM
H.A.G. MAG
No. 2 TURRET UPPER MAG
No. 2 TURRET LOWER MAG
25 M.G. MAG.
GYRO COMP. RM.
No. 1 TURRET SHELL ROOM
No. 1 TURRET UPPER MAG
No. 1 TURRET LOWER MAG
BILGE PUMP RM.
OIL PUMP RM.
UNDER WATER LOCATING RM.
STORE
CREW SPACE
FORE ANCHOR ENGINE RM.
TRIM TANK
UNDER WATER PHONE COMPT.
VENT
BATTLE SHIP YAMATO
GENERAL ARRANGEMENT (PROFILE SECTONS) 1/4
SCALE 1/200
ENCL. 3
ND-50-1000.3

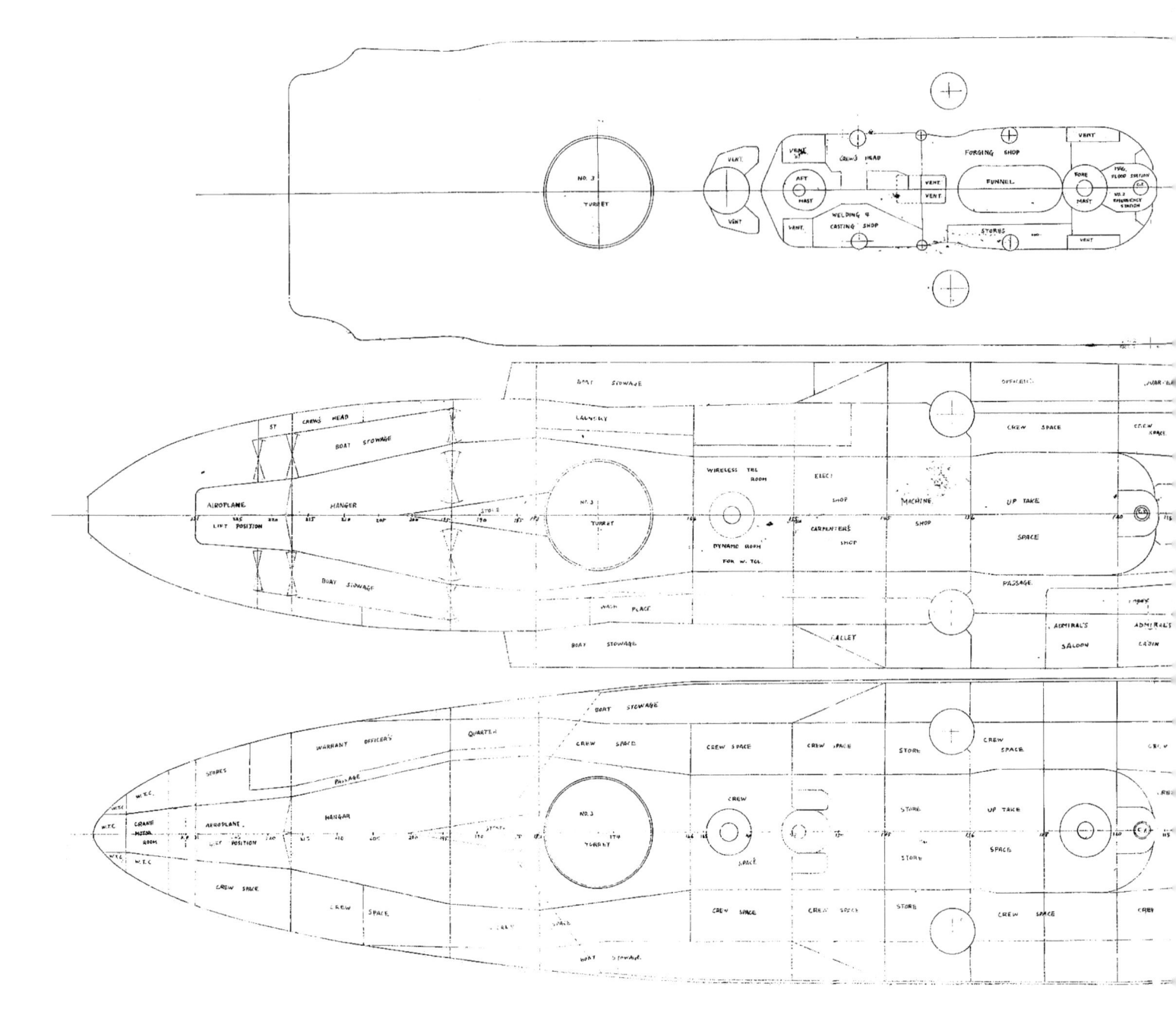

戦艦大和一般配置図　最上甲板、上甲板、中甲板

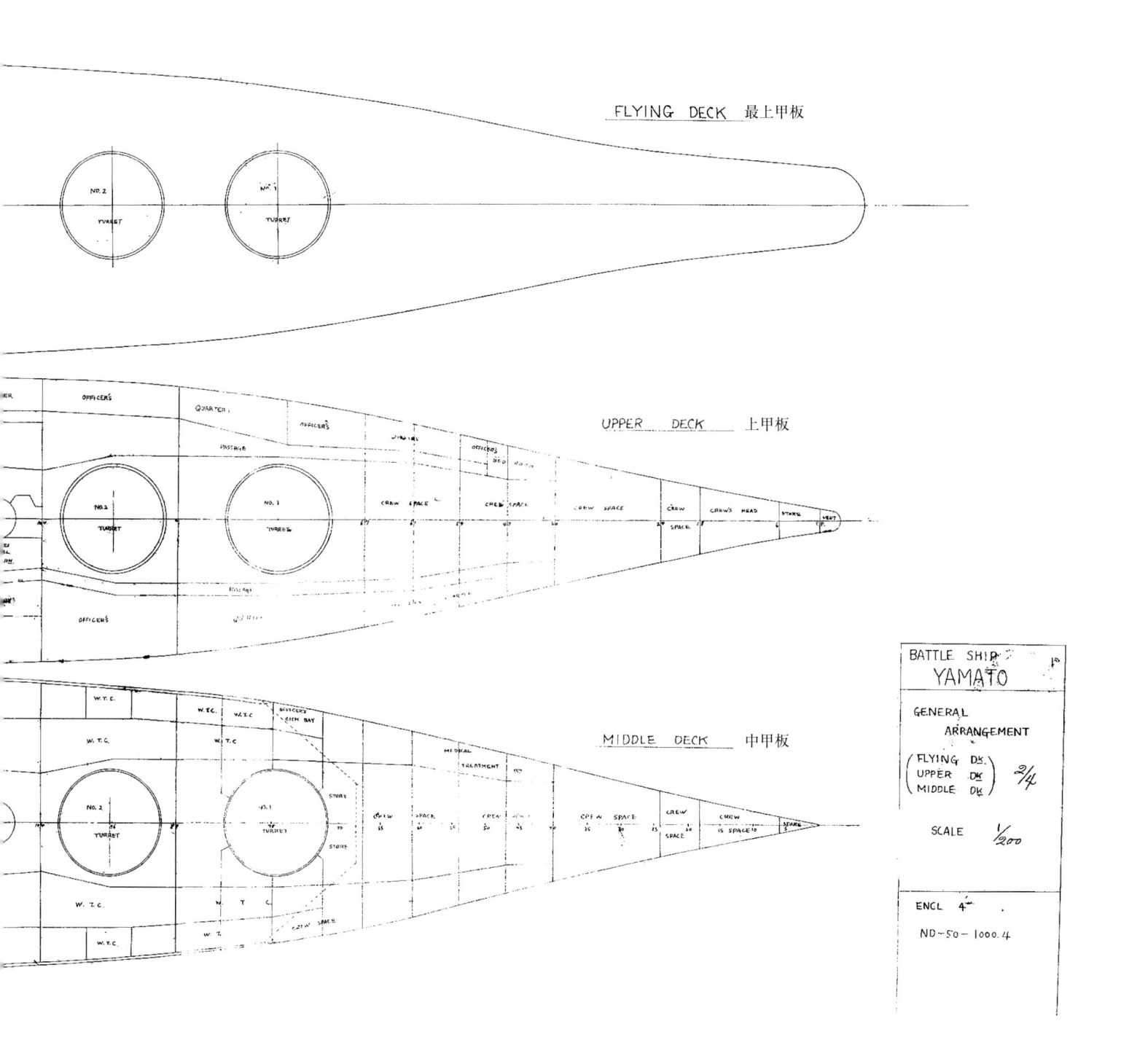

FLYING DECK　最上甲板

UPPER DECK　上甲板

MIDDLE DECK　中甲板

BATTLE SHIP
YAMATO

GENERAL
　ARRANGEMENT

(FLYING DK.
 UPPER DK.
 MIDDLE DK.)　2/4

SCALE　1/200

ENCL 4

ND-50-1000.4

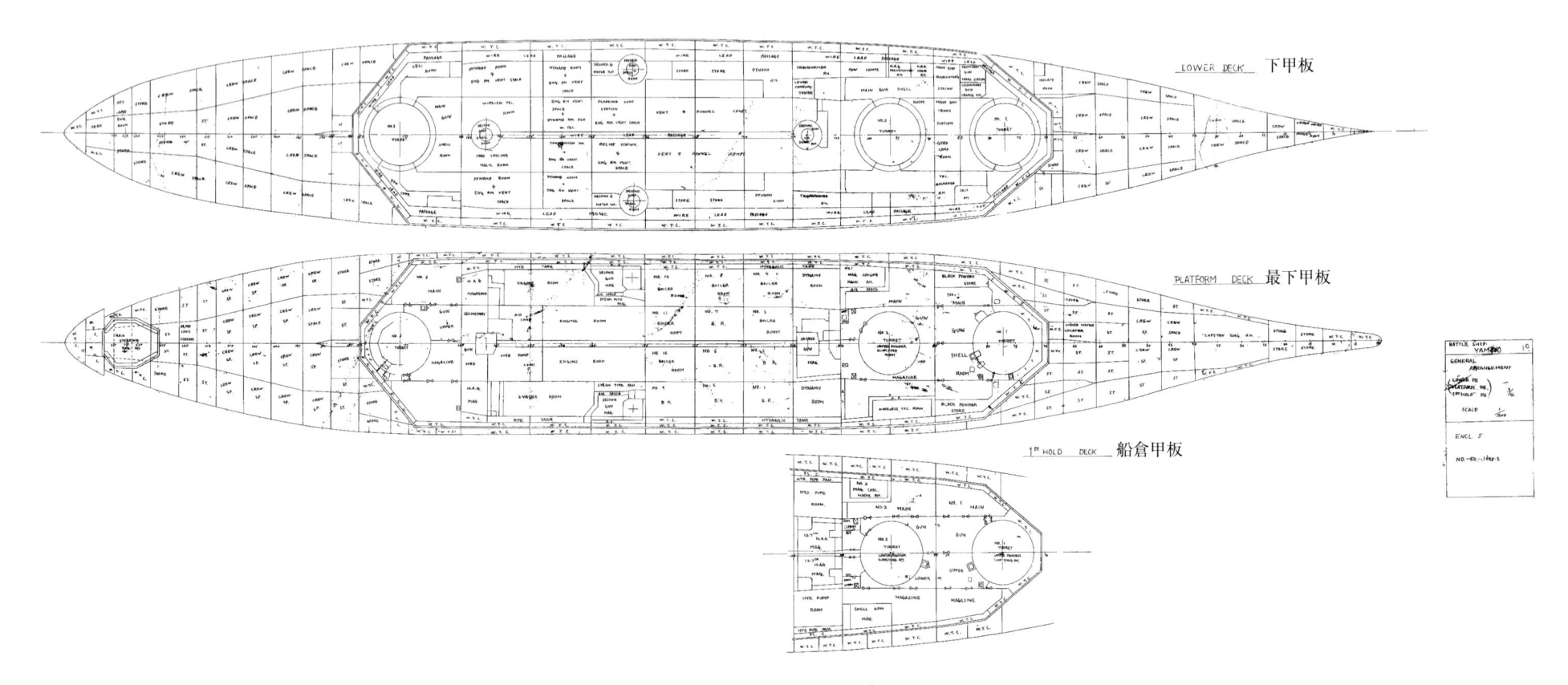

戦艦大和一般配置図　下甲板、最下甲板、船倉甲板

戦艦大和一般配置図　第二船倉甲板、船倉平面

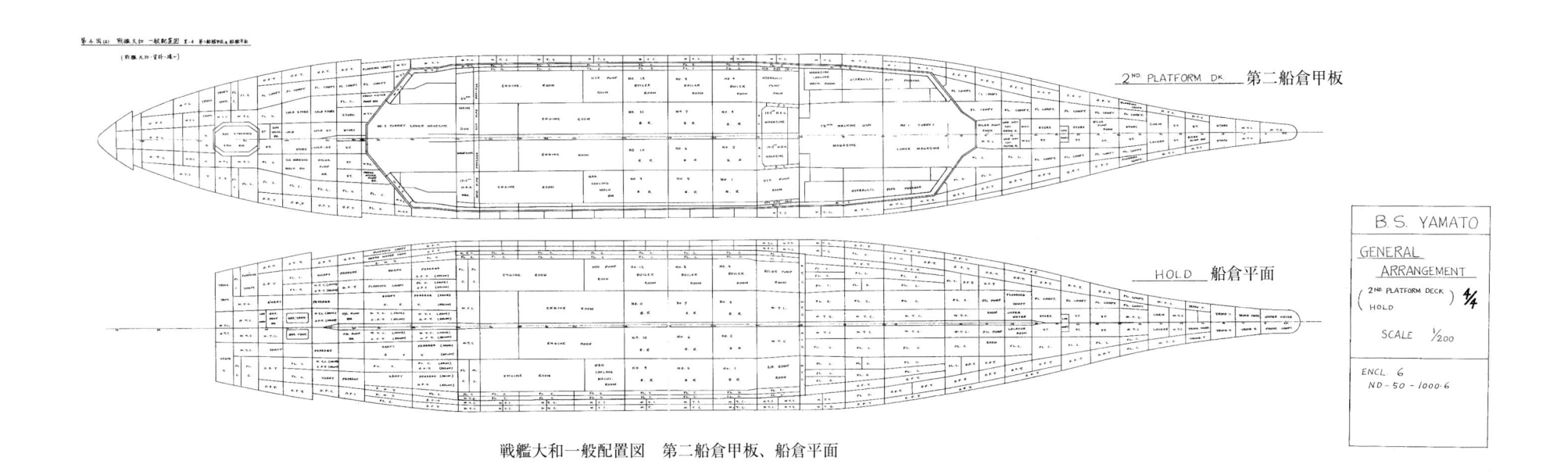

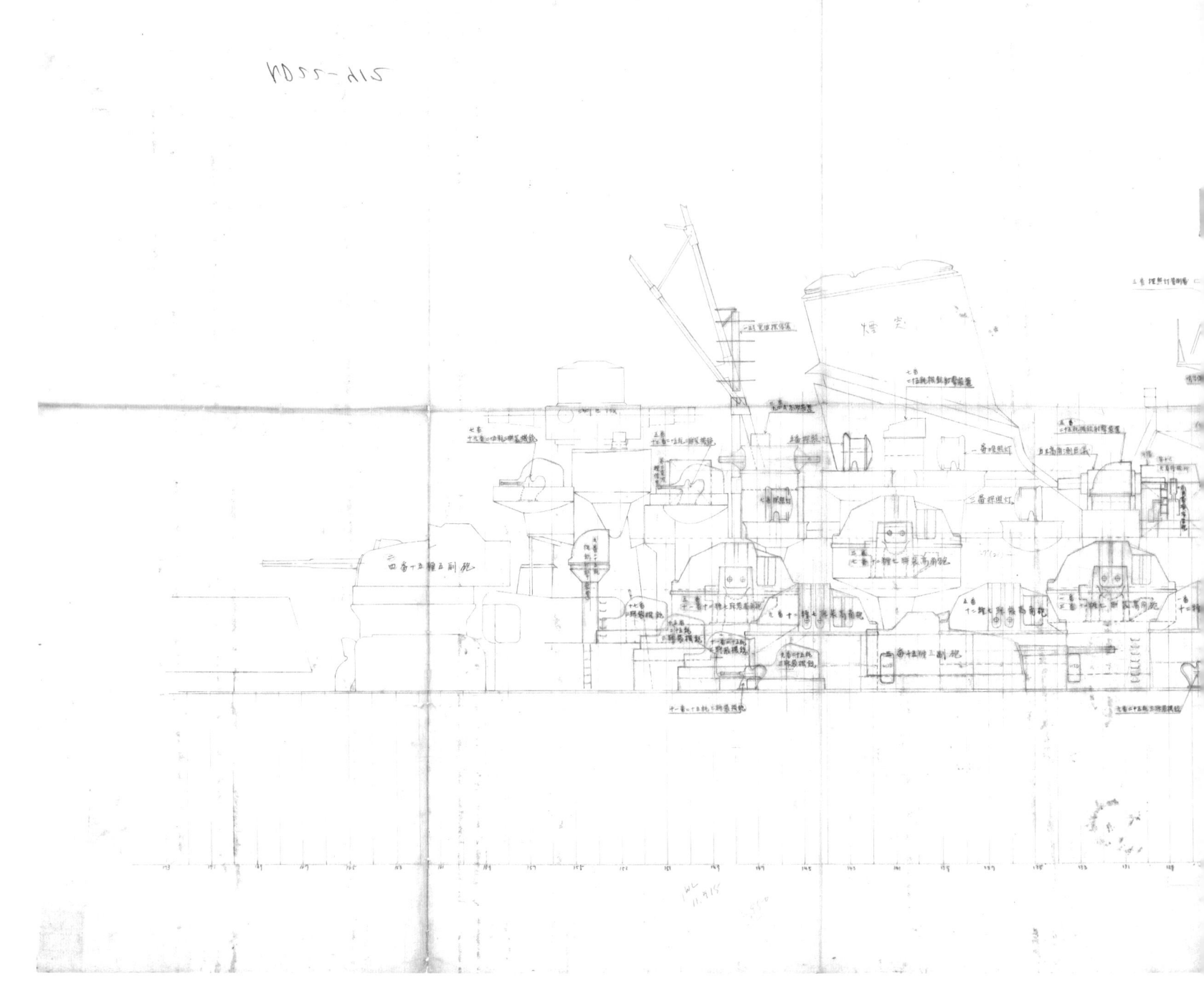

一般艤装図一部改正　艦外側面　昭和19年2月7日

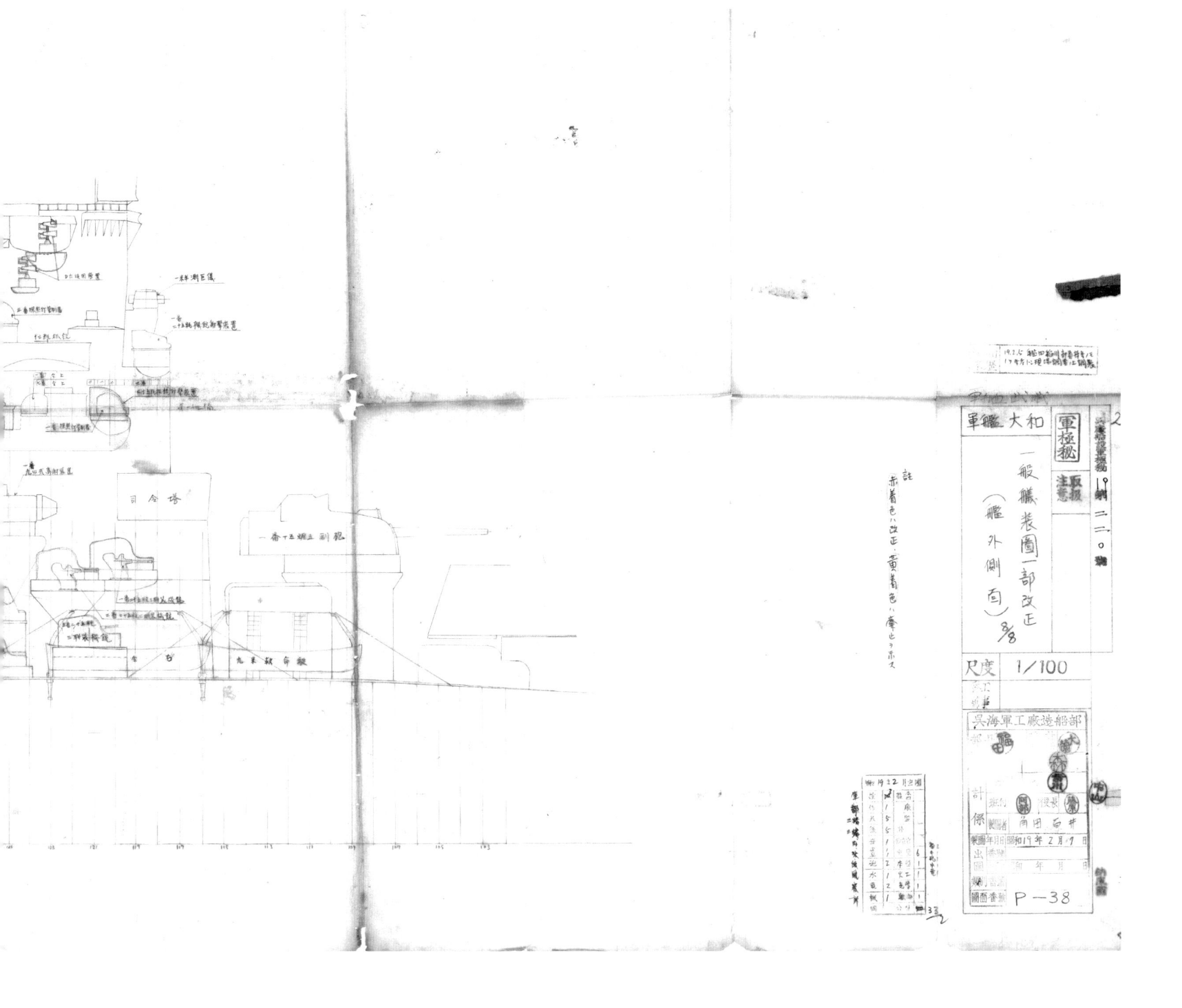

軍艦 大和

一般艤装図一部改正
（艦外側面）

尺度 1/100

呉海軍工廠造船部

P-38

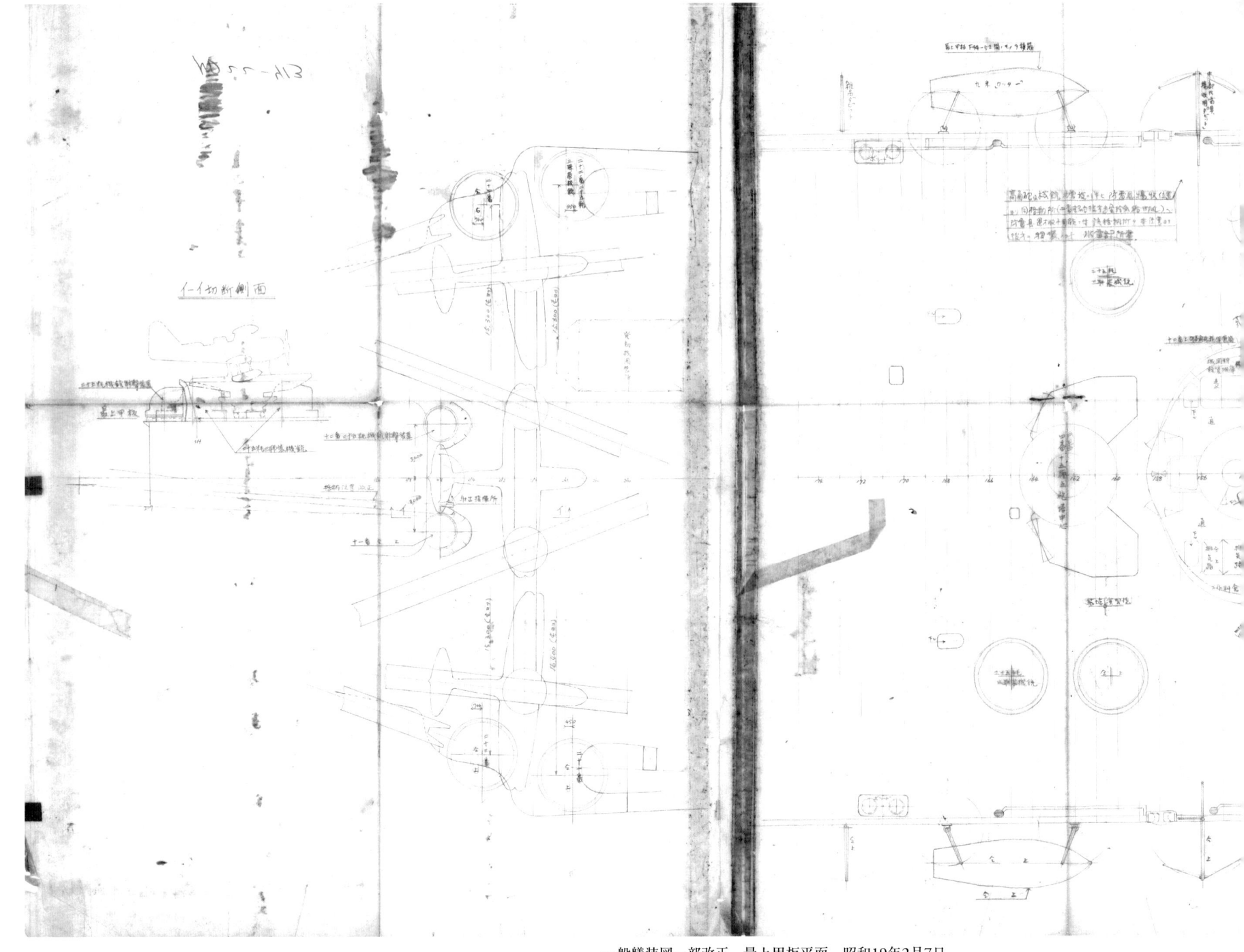

一般艤装図一部改正　最上甲板平面　昭和19年2月7日

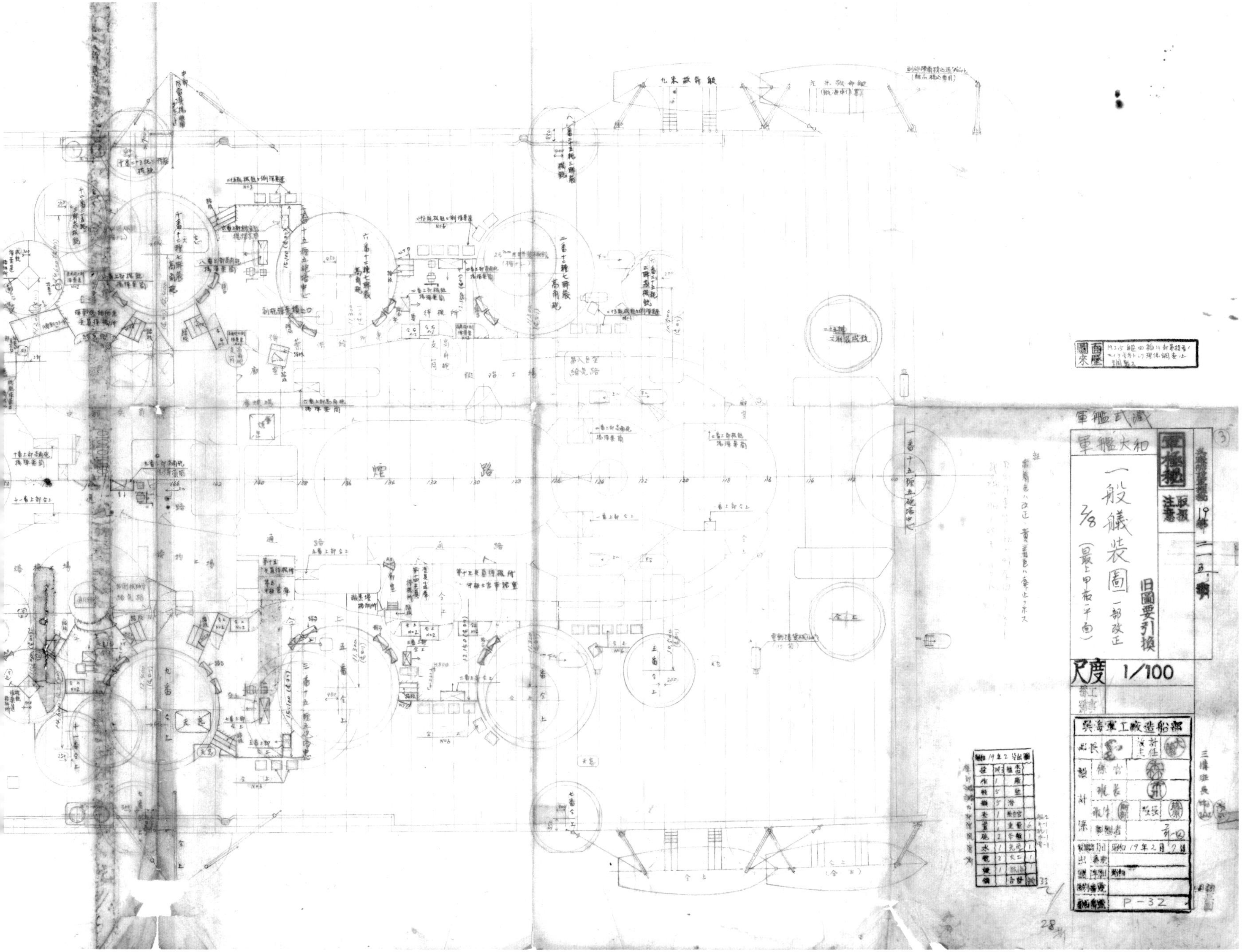
軍艦武蔵
軍艦大和
一般艤装図 一部改正
(最上甲板二平面)
旧図要引換
尺度 1/100
呉海軍工廠造船部
P-32

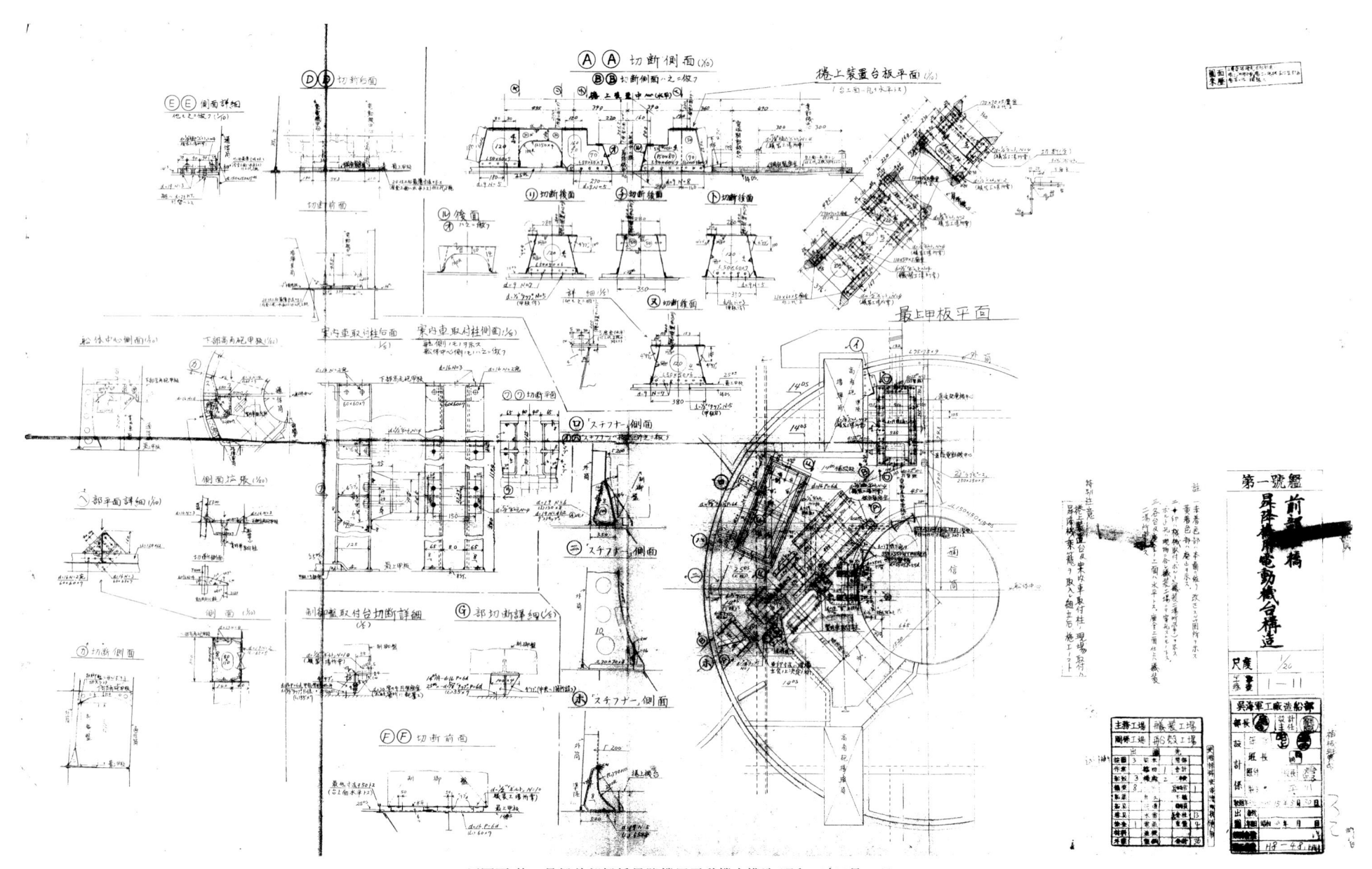

原図面 第一号艦前部艦橋昇降機用電動機台構造 昭和15年5月30日

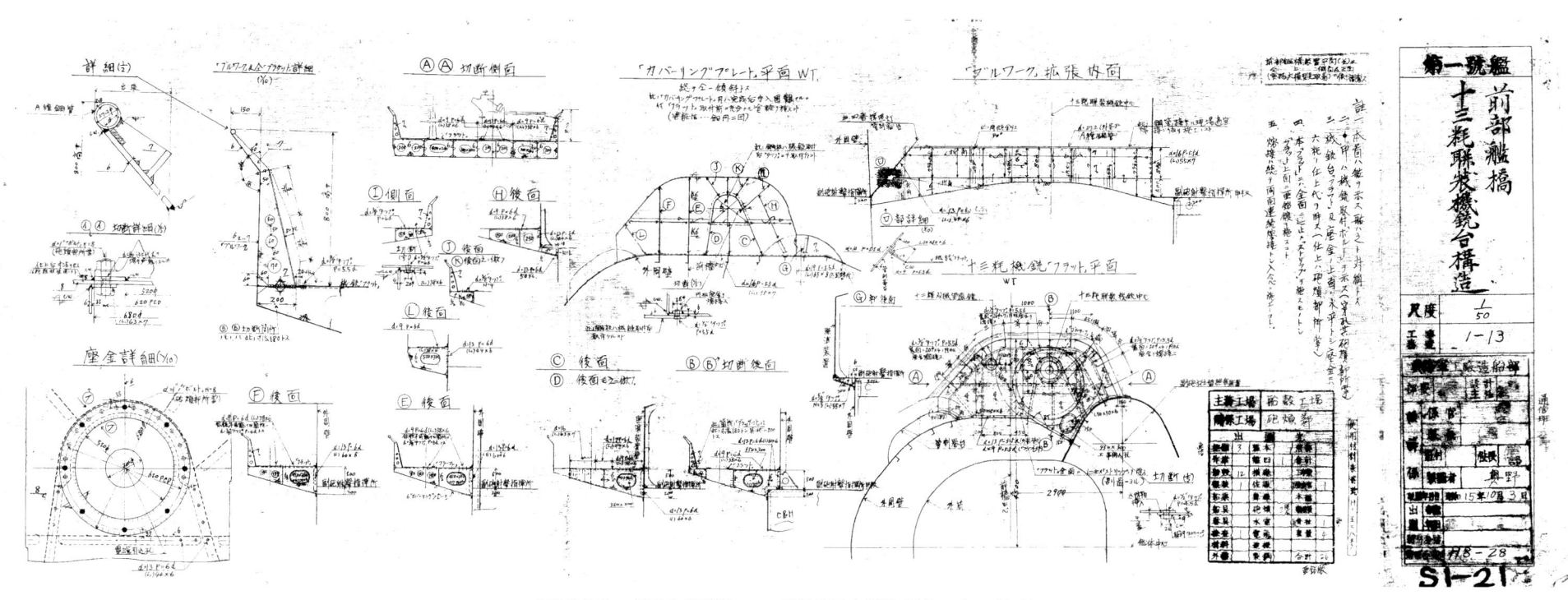

原図面 第一号艦前部艦橋13mm連装機銃台構造 昭和15年10月3日

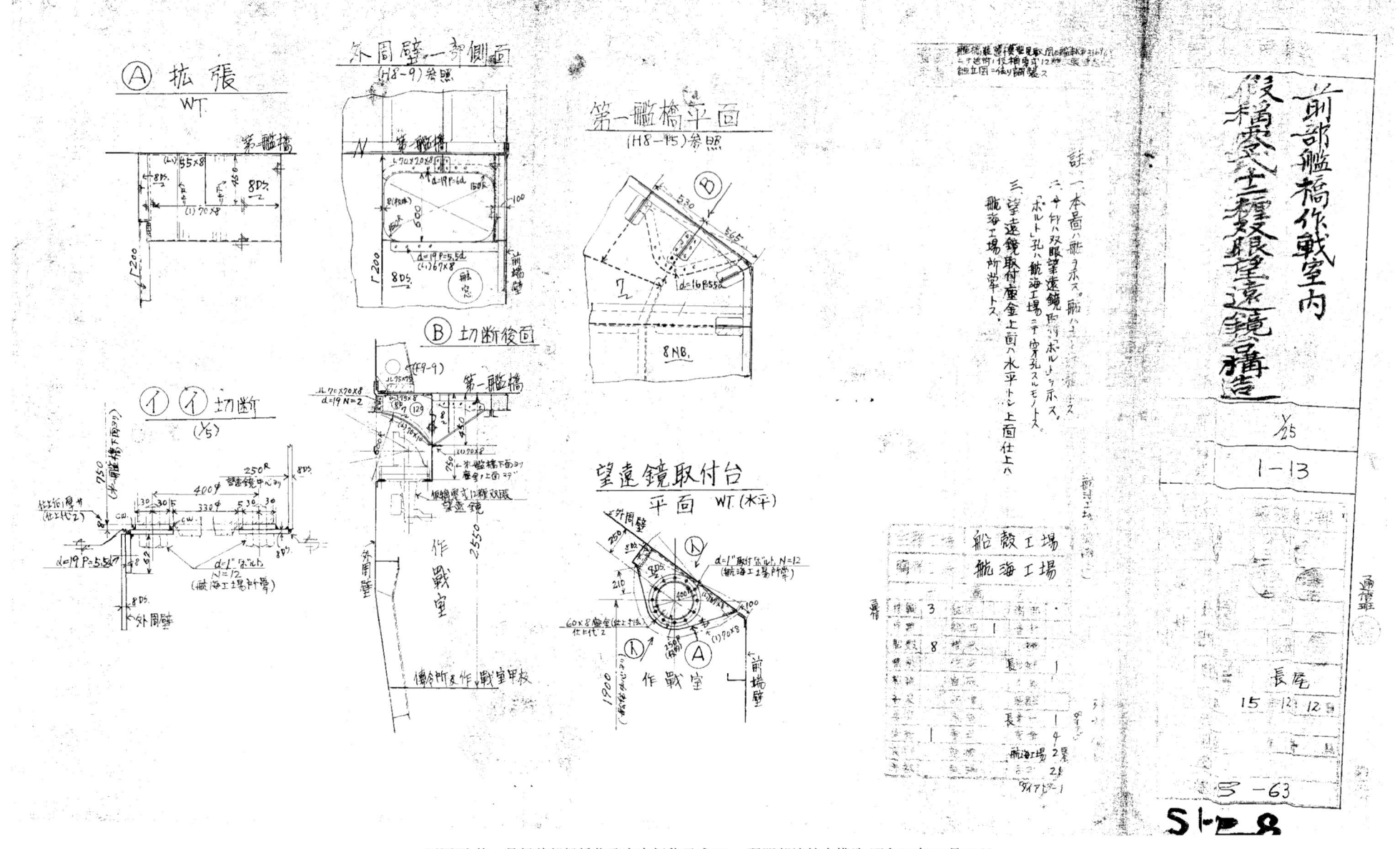

原図面 第一号艦前部艦橋作戦室内仮称零式12cm双眼望遠鏡台構造 昭和15年12月12日

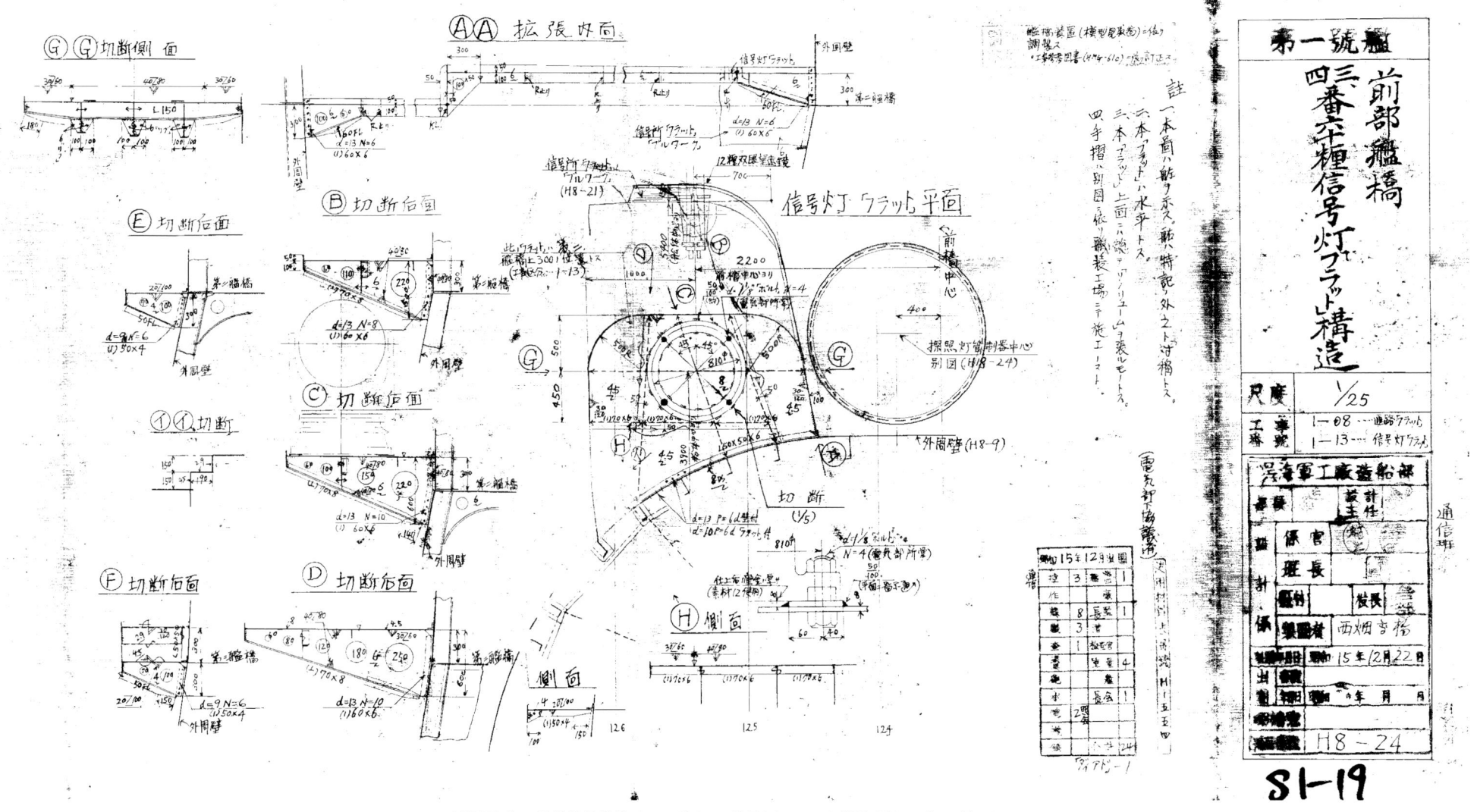

原図面 第一号艦前部艦橋三、四番60cm信号灯フラット構造 昭和15年12月22日

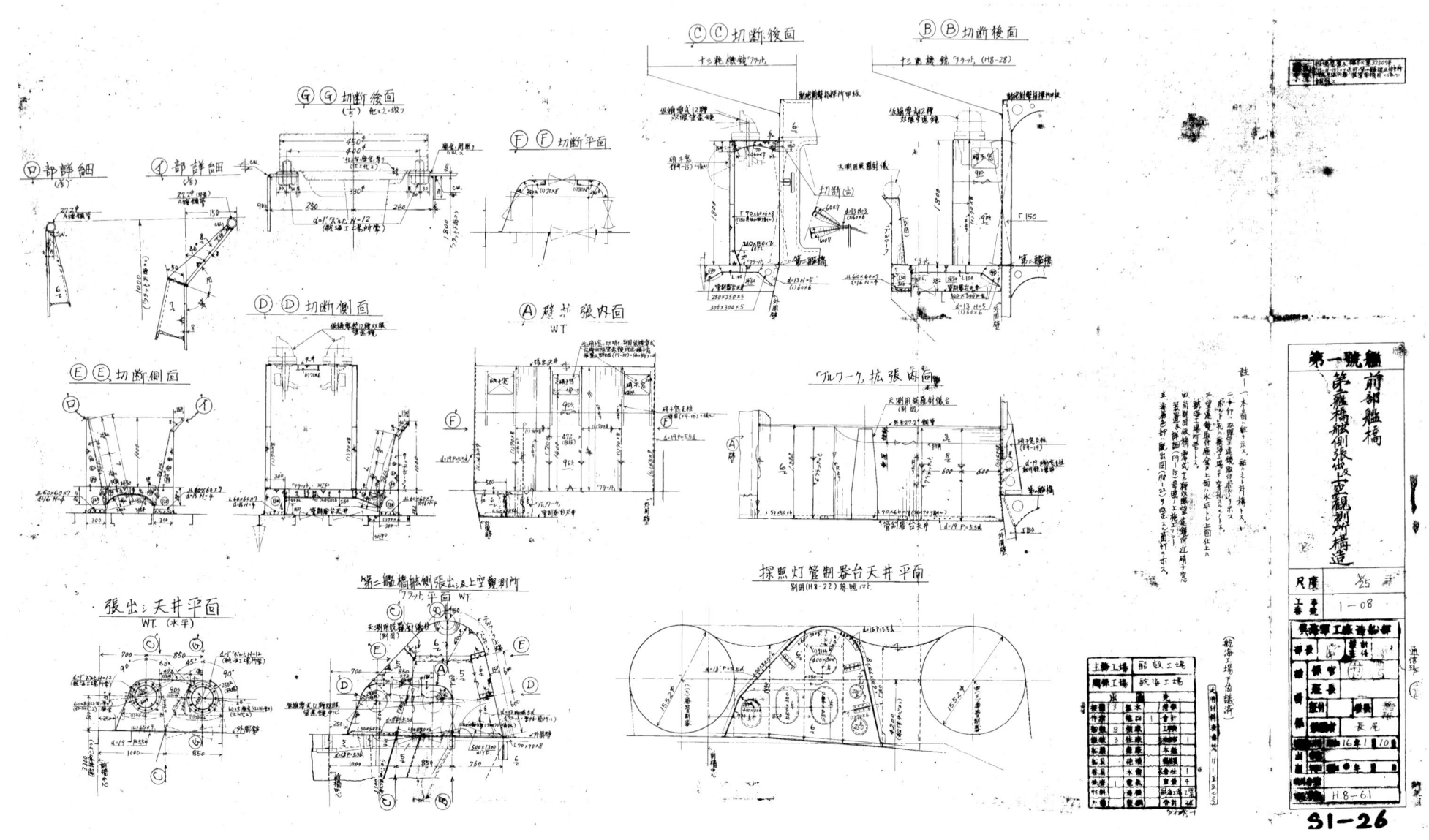

原図面 第一号艦前部艦橋第二艦橋舷側張出及上空観測所構造 昭和16年1月10日

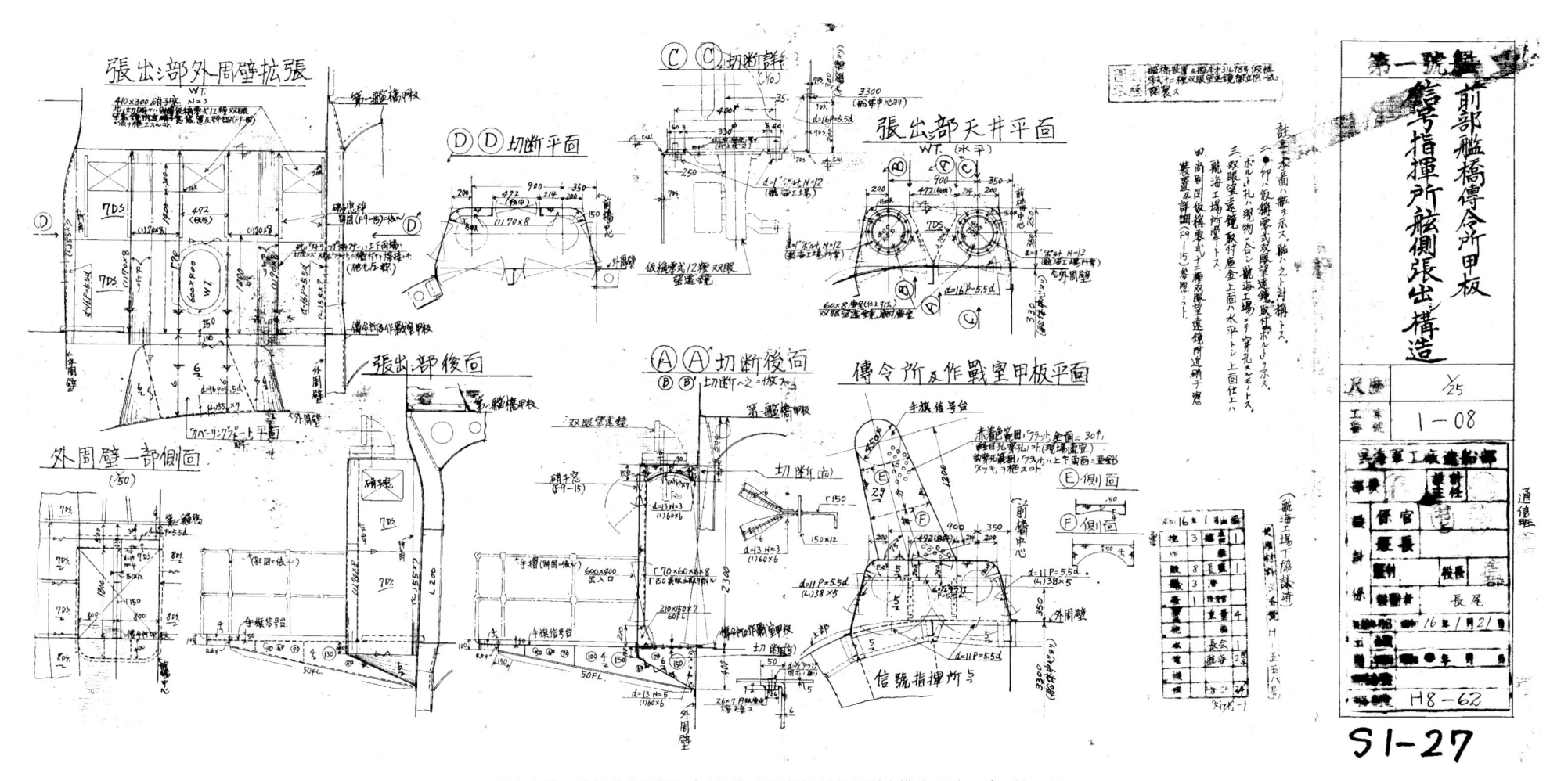

原図面 第一号艦前部艦橋伝令所甲板信号指揮所舷側張出構造 昭和16年1月21日

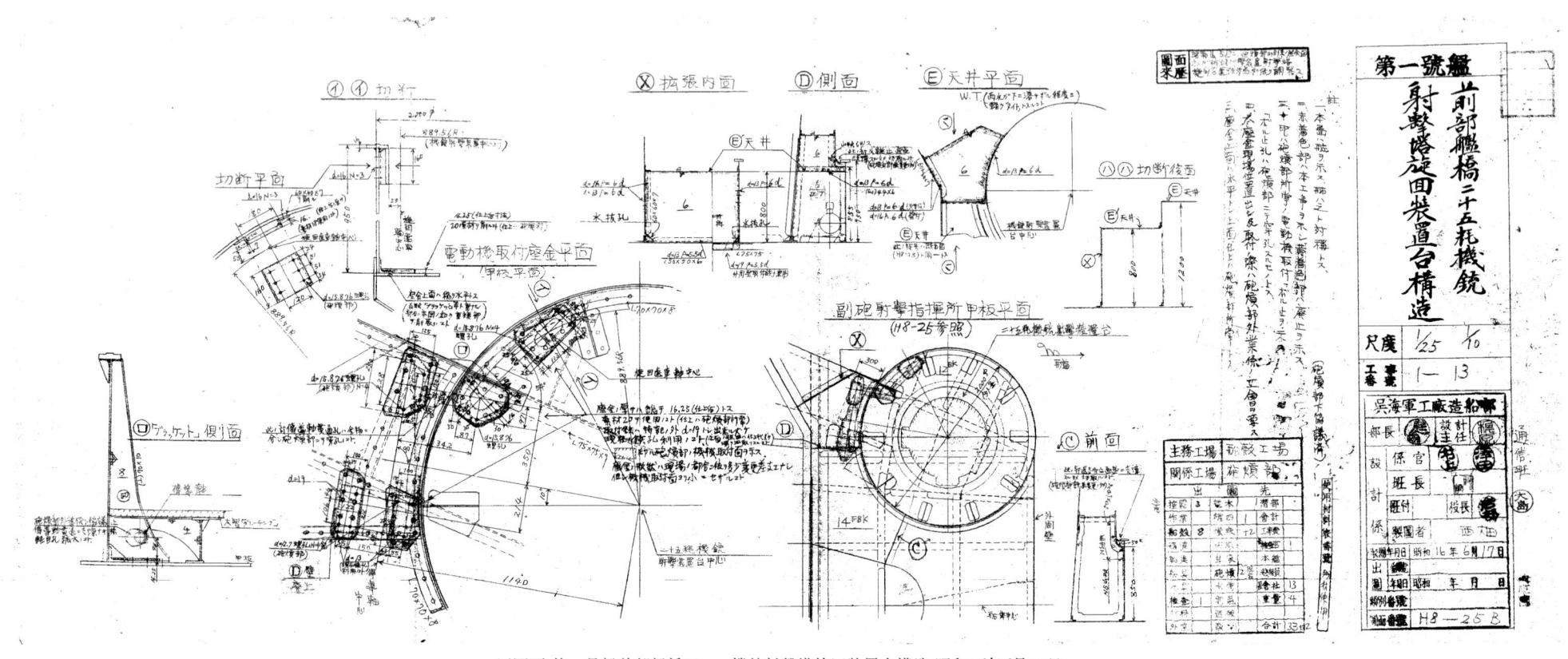

原図面 第一号艦前部艦橋25mm機銃射撃塔旋回装置台構造 昭和16年6月17日

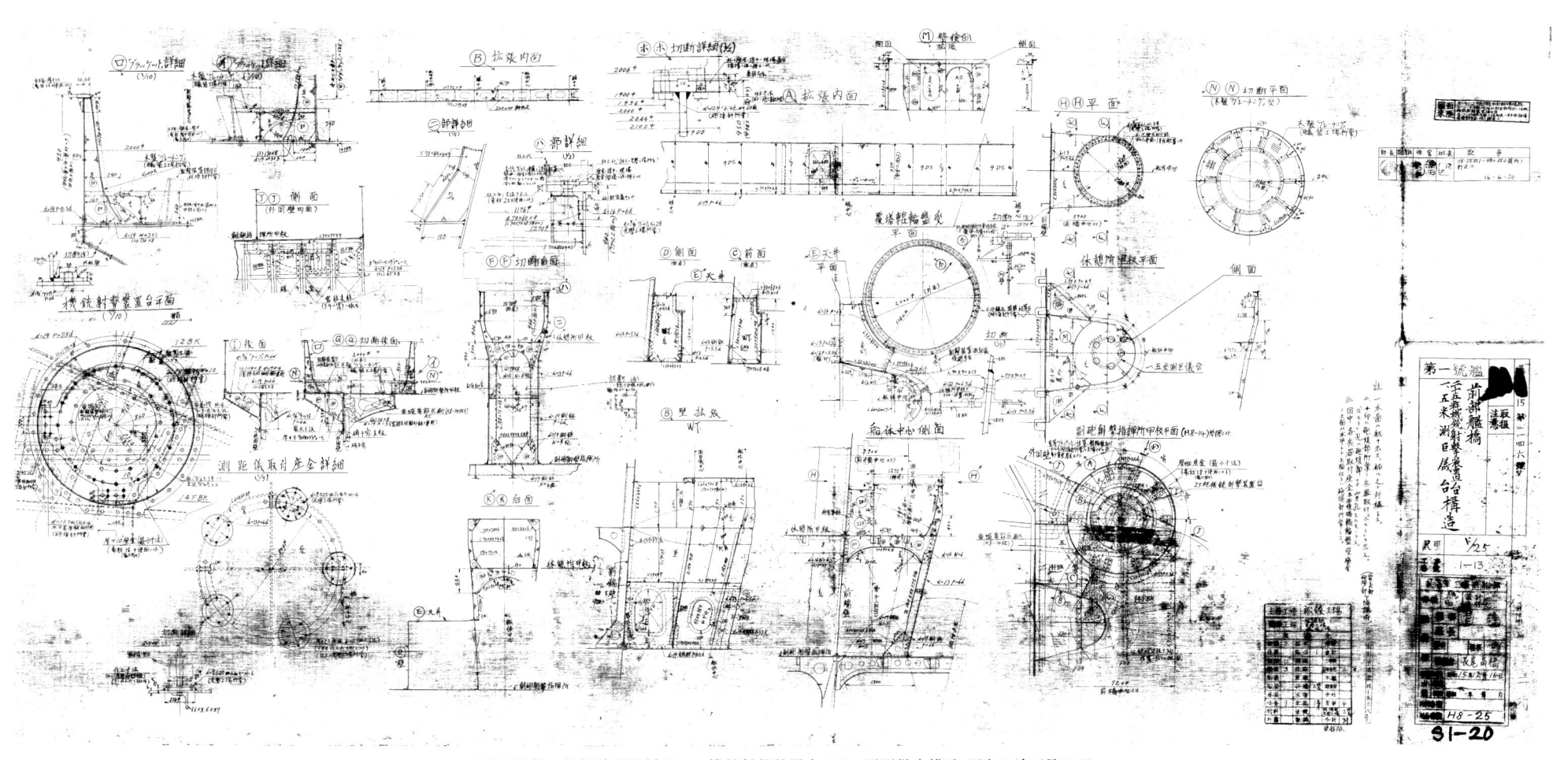

原図面 第一号艦前部艦橋25mm機銃射撃装置台 1.5m測距儀台構造 昭和16年6月20日

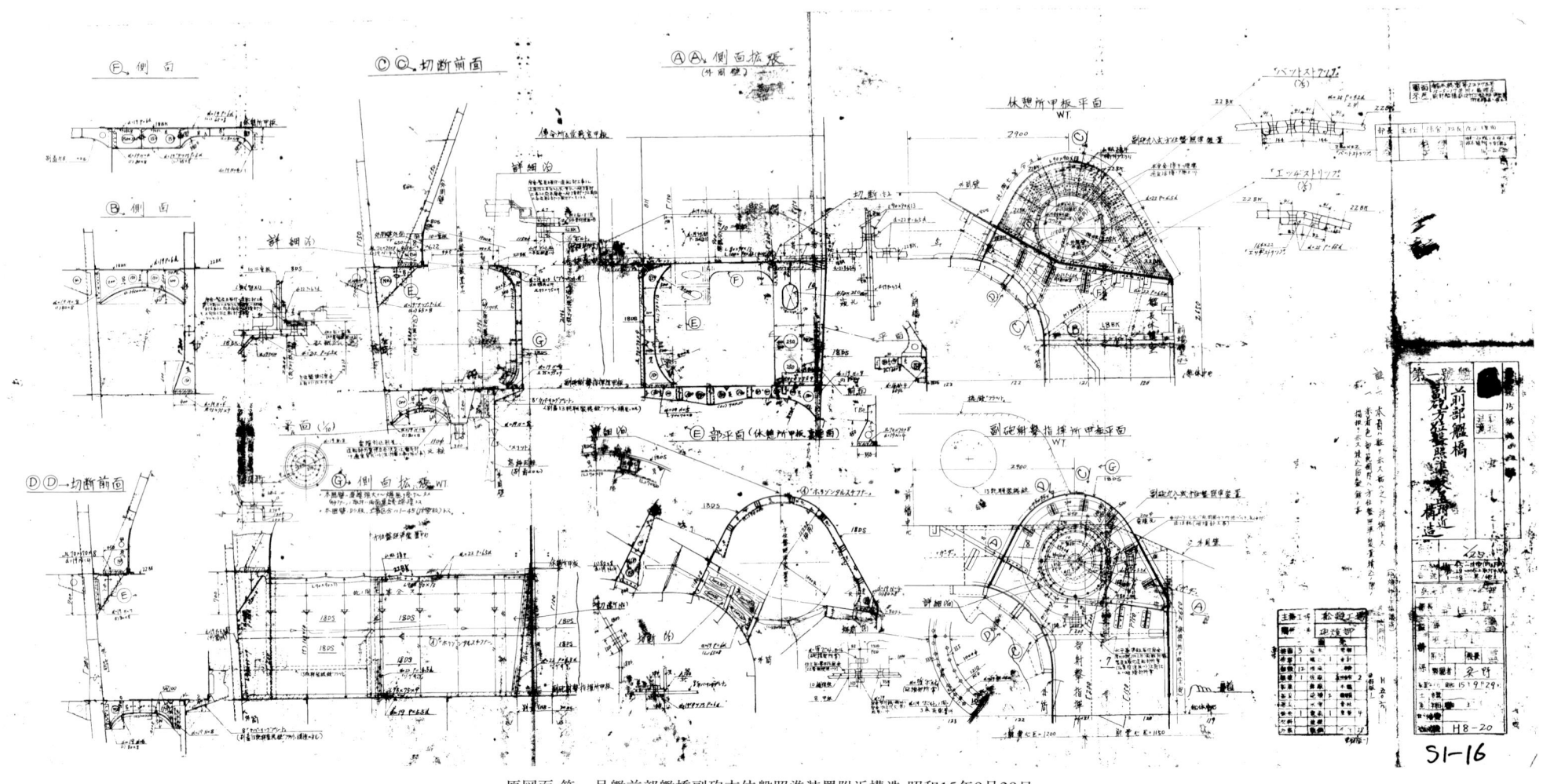

原図面 第一号艦前部艦橋副砲方位盤照準装置附近構造 昭和15年9月29日

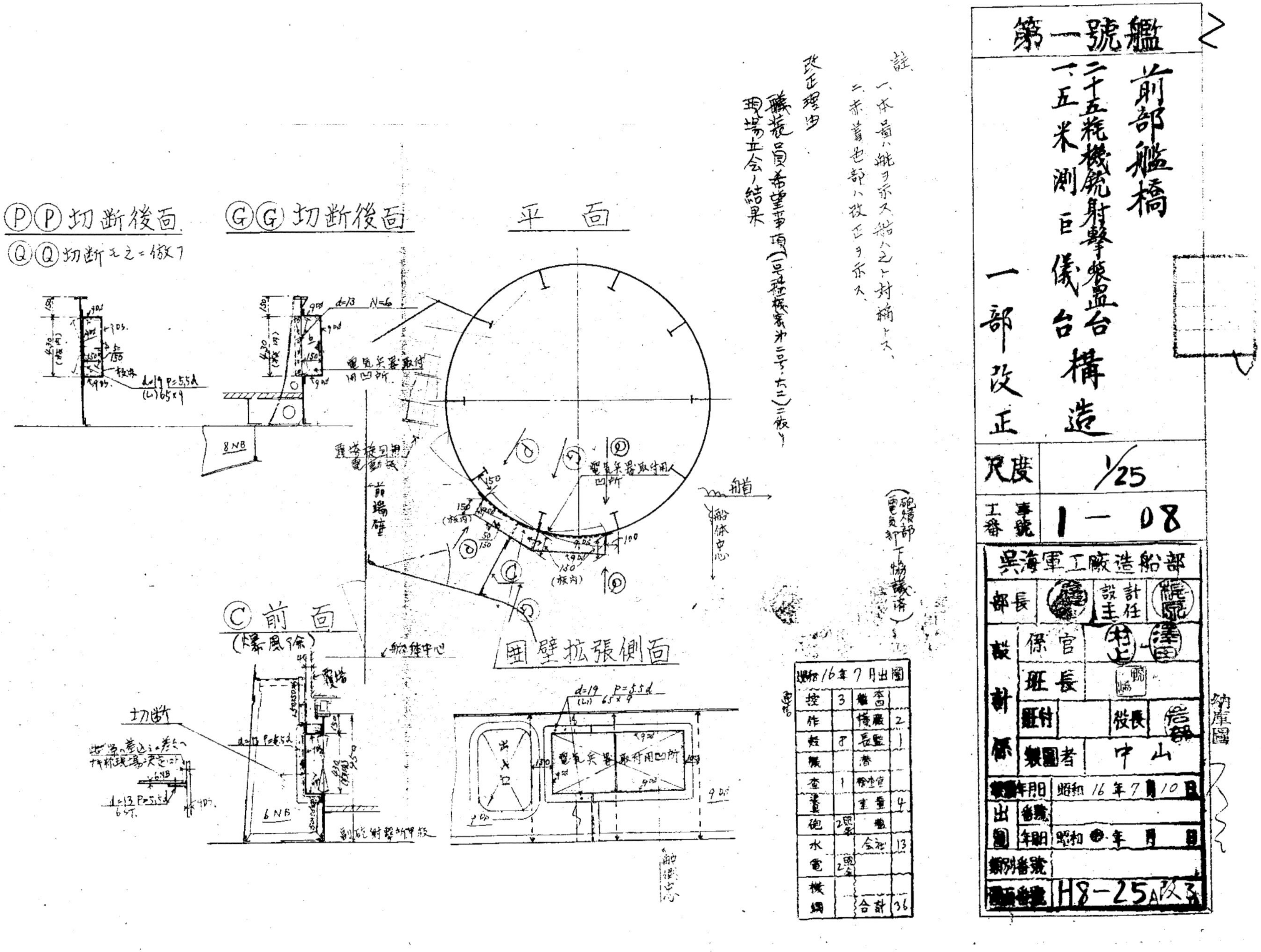

原図面 第一号艦前部艦橋25mm機銃射撃装置台 1.5m測距儀台構造一部改正 昭和16年7月10日

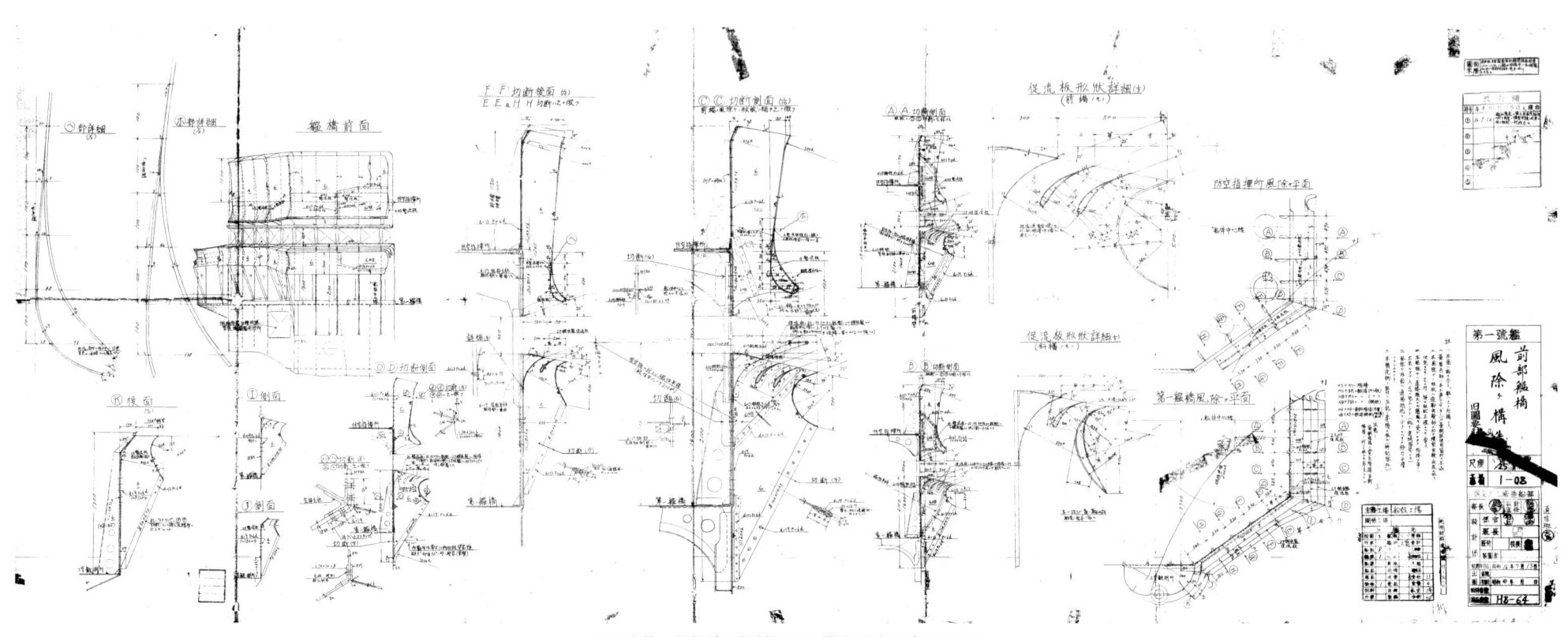

原図面 第一号艦前部艦橋風除け構造 昭和16年7月13日

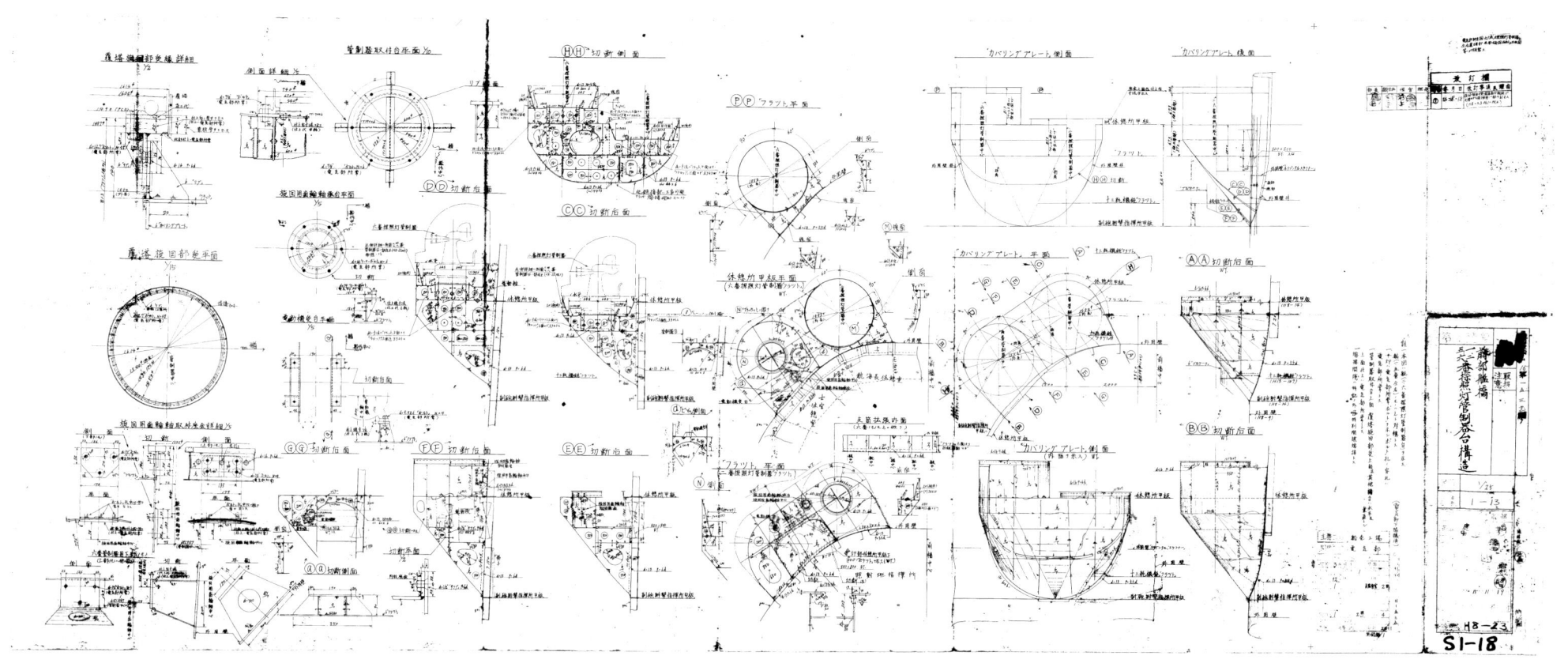

原図面 第一号艦前部艦橋一、二、五、六番探照灯管制器台構造 昭和15年11月19日

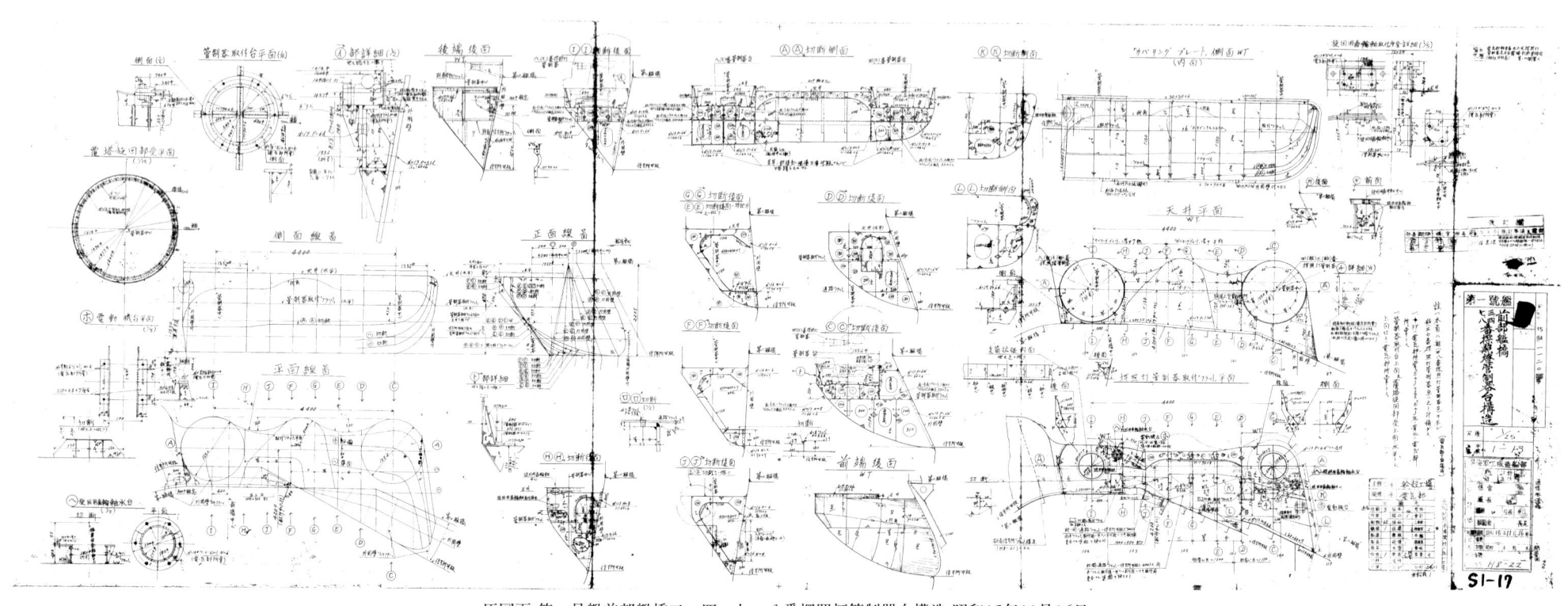

原図面 第一号艦前部艦橋二、四、七、八番探照灯管制器台構造 昭和15年11月16日

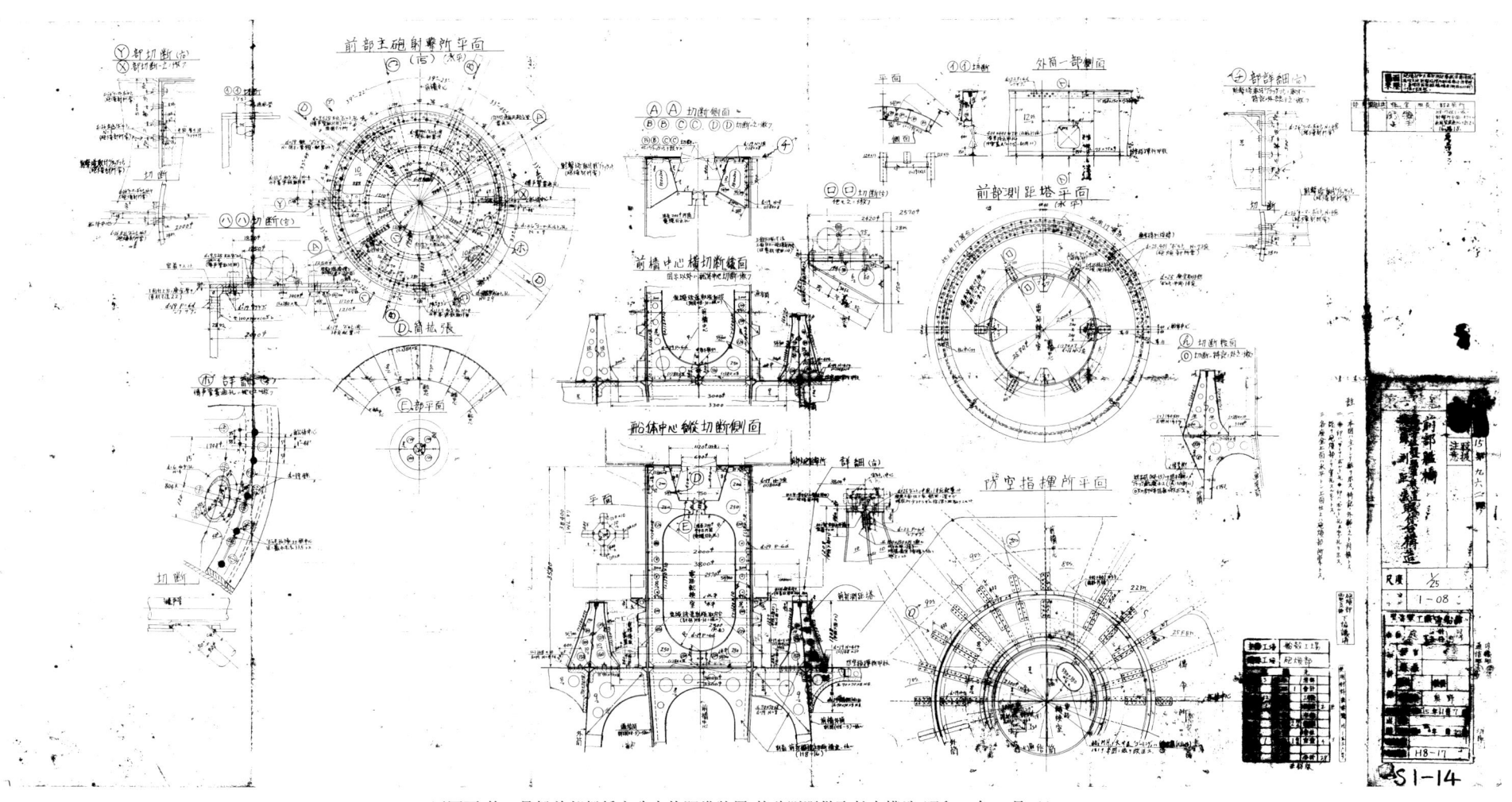

原図面 第一号艦前部艦橋主砲方位照準装置 特殊測距儀取付台構造 昭和15年11月7日

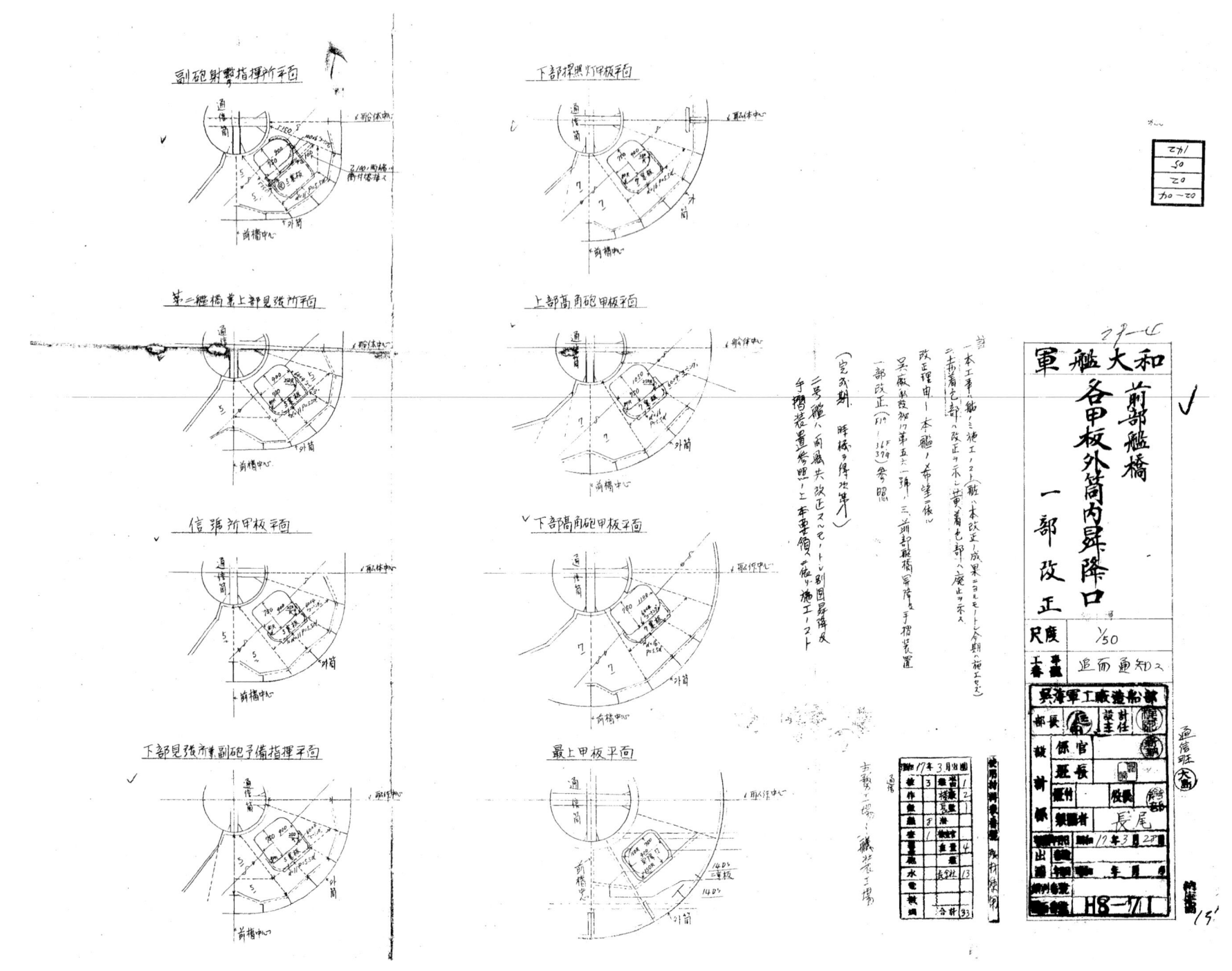

原図面 軍艦大和前部艦橋各甲板外筒内昇降口一部改正 昭和17年3月28日

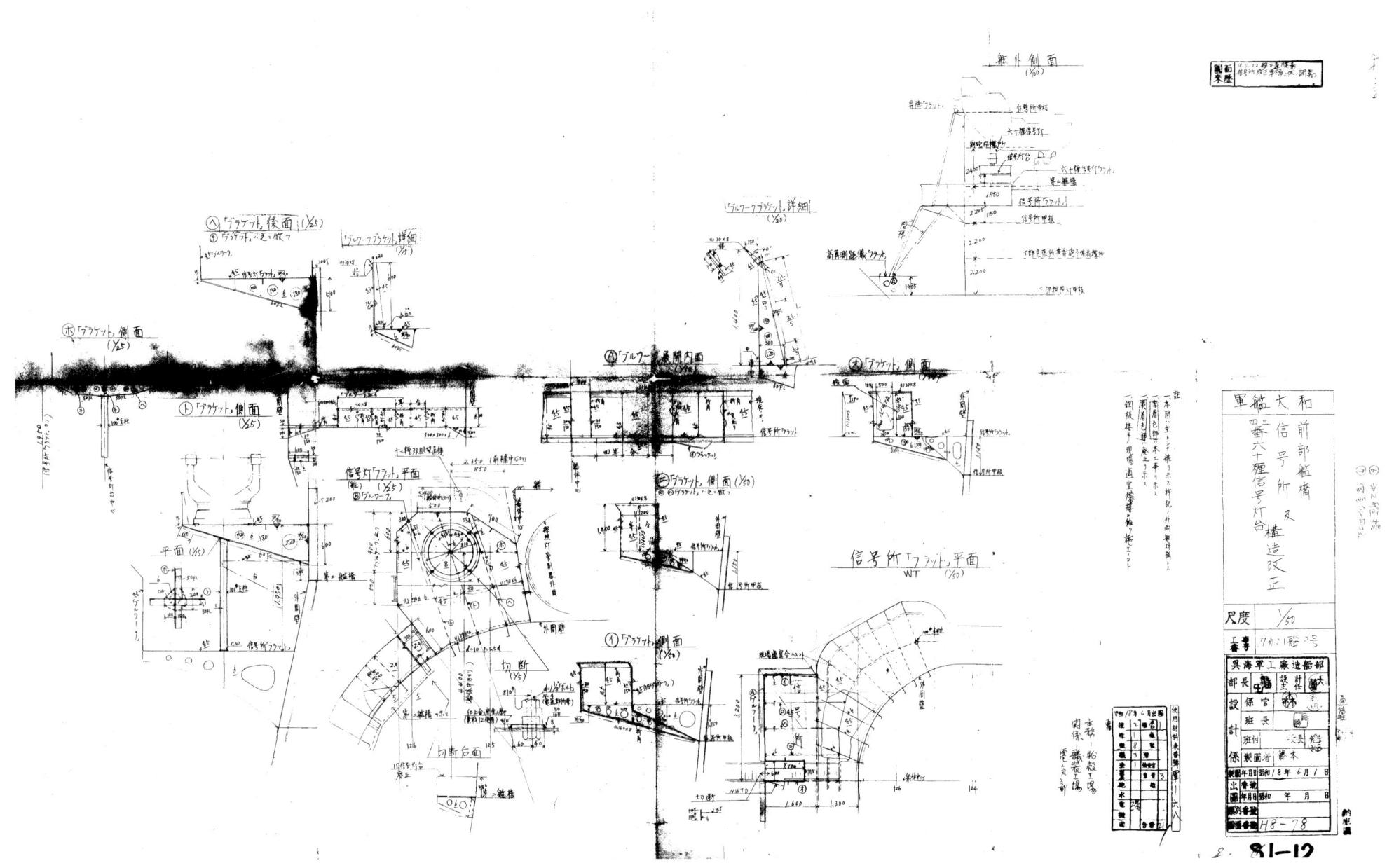

原図面 軍艦大和前部艦橋 信号所及三、四番60cm信号灯台構造改正 昭和18年6月1日

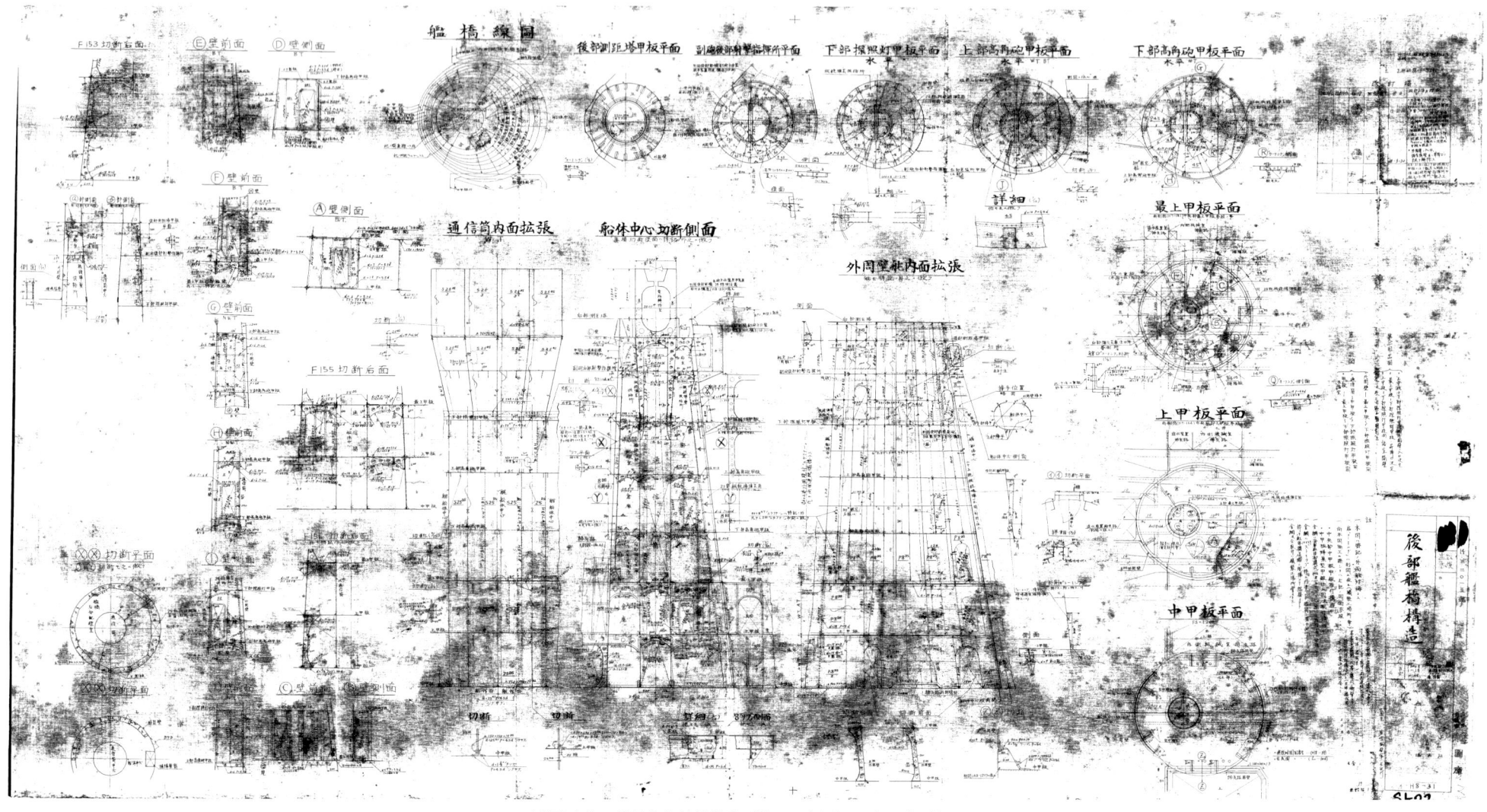

原図面 第一号艦後部艦橋構造（第三回出図）　昭和16年3月1日

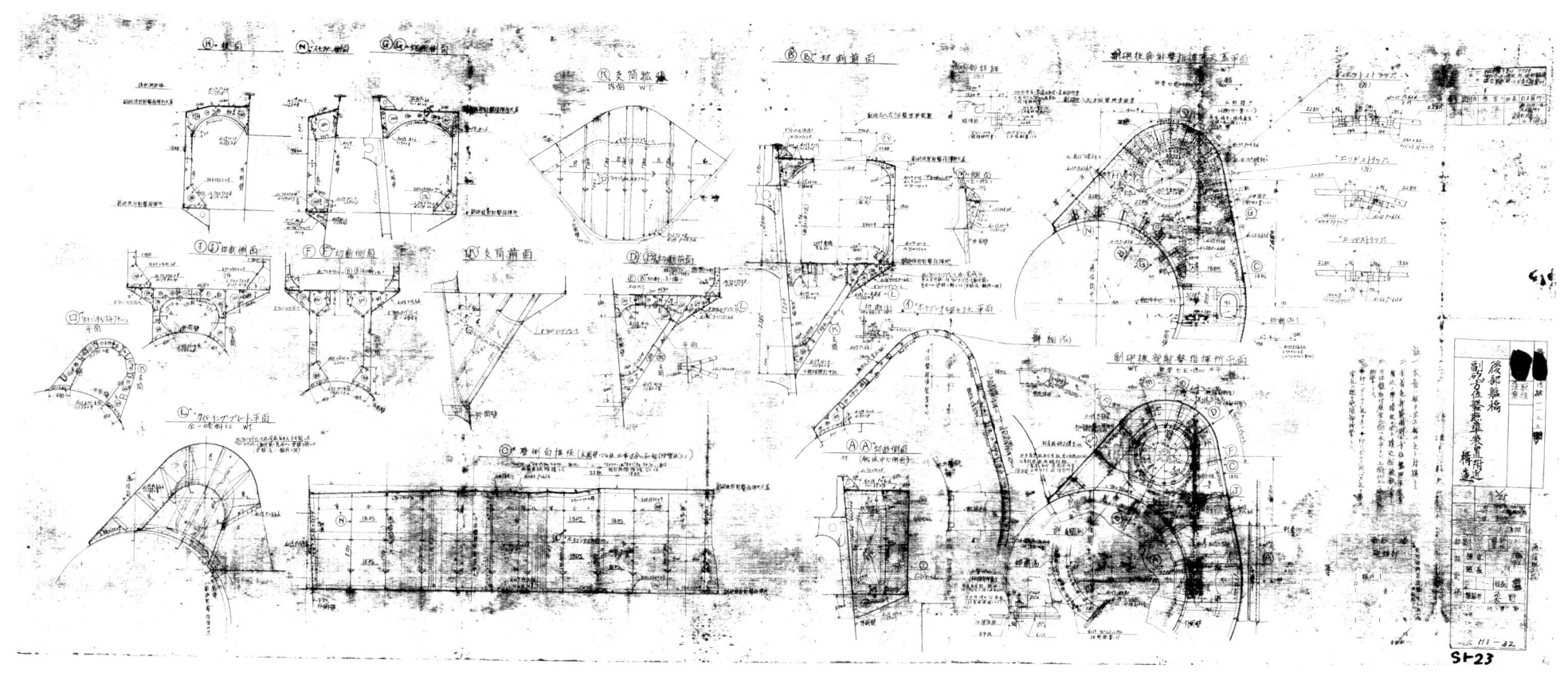

原図面 第一号艦後部艦橋副砲方位盤照準装置附近構造 昭和15年8月18日

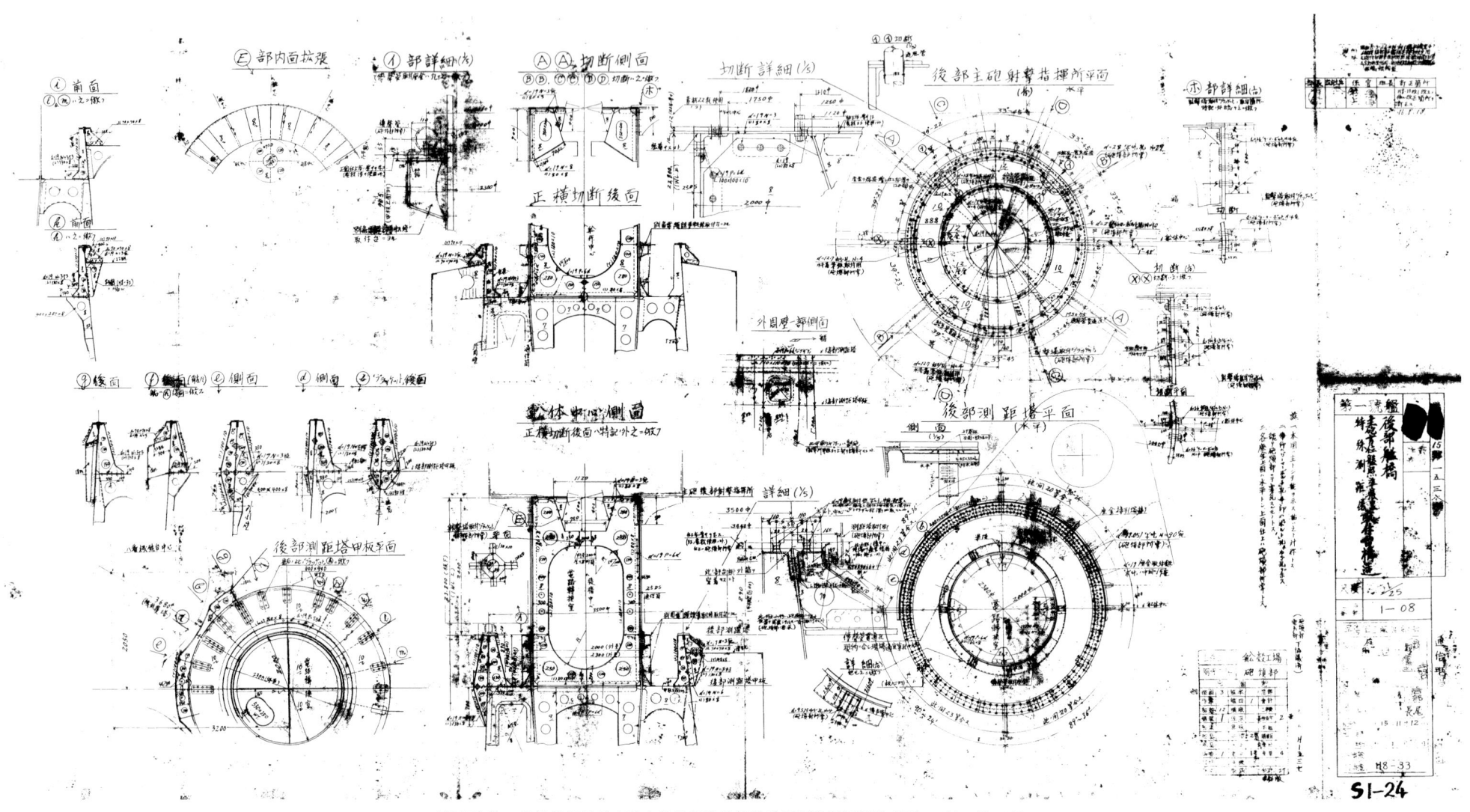

原図面 第一号艦後部艦橋主砲方位盤照準装置特殊測距儀附近構造 昭和15年11月12日

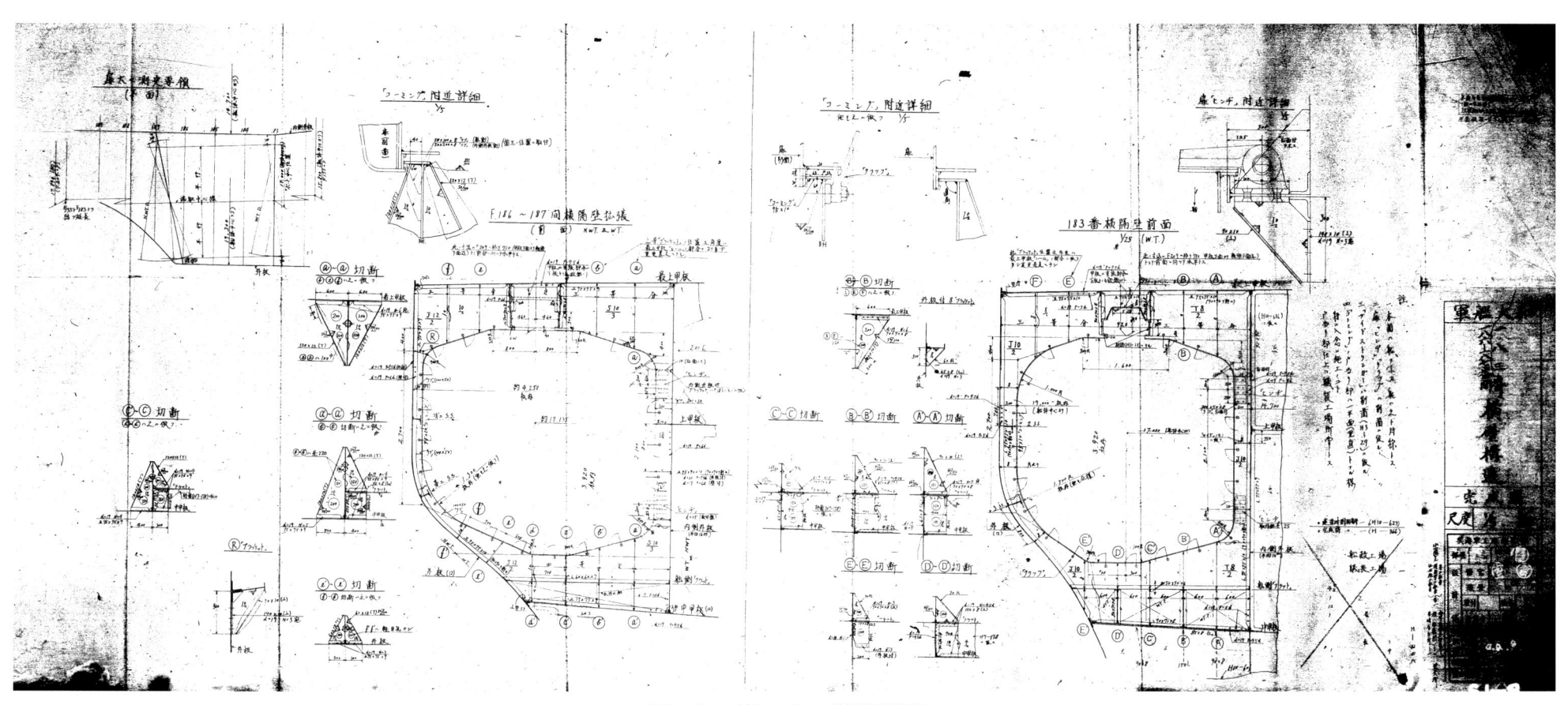

軍艦大和183番及186-187番間横壁構造

大和・武蔵　要目・艦歴一覧

大和（新造時）

- 〔艦種〕　　　戦艦
- 〔吃水線長〕　256.0m
- 〔水線幅〕　　36.9m
- 〔吃水〕　　　10.4m
- 〔基準排水量〕64,000t
- 〔速力〕　　　27.0kn
- 〔航続距離〕　16kn-7,200カイリ
- 〔燃料×満載量〕重油6,400t
- 〔計画乗組員〕約2,500人
- 〔主要兵装〕　45口径46cm 3連装3基、15.5cm 3連装4基、12.7cm高角砲連装6基
- 〔飛行機数〕　水上偵察機×7　射出機（カタパルト）×2
- 〔主機械〕　　艦本式ギアードタービン×8
- 〔軸数〕　　　4
- 〔罐〕　　　　ロ号艦本式空気予熱器付重油専焼×12
- 〔機関出力〕　150,000馬力

計画：昭和12年度
建造所：呉工廠

昭和12年11月4日	起工
 15年6月3日	一番、二番主砲塔旋回盤積込作業（呉工廠）
 15年6月3日	主砲塔旋回盤転倒作業（呉工廠）
15年8月8日	進水
15年8月8日	呉海軍工廠造船船渠での大和進水式 砂川兼雄工廠長が支綱を切断した瞬間
 15年8月8日	大和進水式における薬玉
 16年9月20日	工事を急ぐ大和（呉工廠）
 16年10月20日	荒天の宿毛沖標柱間で全力公試中
 16年10月26日	宿毛沖標柱間で全力公試中
 16年10月30日	宿毛沖標柱間で全力公試中
16年12月16日	竣工、戦艦に類別
16〜18年	太平洋戦争。ミッドウェー作戦支援（17年）、マリアナ沖海戦、比島沖海戦（昭和19年）、菊水一号作戦等に参加
17年2月26日	連合艦隊旗艦となる
17年5月29日	ミッドウエー作戦支援のために柱島出撃
17年8月17日	ソロモン作戦支援のために柱島出撃
 17年	トラック島泊地
18年2月11日	連合艦隊旗艦を武蔵に移す
18年	トラック島泊地
18年	トラック島より横須賀に向かう大和
 18年夏	柱島
18年12月25日	トラック北方で米潜水艦SKATEの雷撃を受け損傷
19年2月25日〜3月18日	呉工廠で修理
19年6月15日	マリアナ沖海戦参加
19年10月22日	捷一号作戦により、レイテ湾の米輸送船団攻撃のためにブルネイ出撃
19年10月24日	比島沖海戦参加
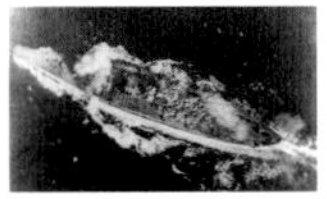 19年10月24日	米機の攻撃を受ける大和（シブヤン海）
19年10月25日	サマール島沖で米護衛空母群と遭遇し、砲撃を行う
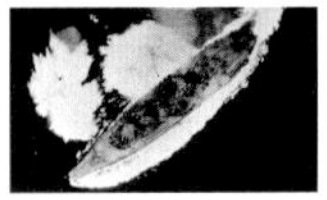 20年3月19日	米機の攻撃を受ける大和（広島湾）
20年4月6日	沖縄の米軍砲撃のために艦隊10隻で特攻出撃
 20年4月7日	沖縄に向かう途中、米機の攻撃を受ける大和
20年4月7日	午後2時23分、菊水一号作戦中、坊ノ岬沖で米空母機の雷爆撃を受け沈没
 20年4月7日	徳之島沖、米機の攻撃で爆沈した大和
20年8月31日	除籍

武蔵（新造時）

〔艦種〕　　　戦艦
〔吃水線長〕　256.0m
〔水線幅〕　　36.9m
〔吃水〕　　　10.4m
〔基準排水量〕64,000t
〔速力〕　　　27.0kn
〔航続距離〕　16kn-7,200カイリ
〔燃料×満載量〕重油6,400t
〔計画乗組員〕約2,500人
〔主要兵装〕　45口径46cm 3連装3基、15.5cm 3連装4基、12.7cm高角砲連装6基
〔飛行機数〕　水上偵察機×7　射出機（カタパルト）×2
〔主機械〕　　艦本式ギアードタービン×8
〔軸数〕　　　4
〔罐〕　　　　ロ号艦本式空気予熱器付重油専焼×12
〔機関出力〕　150,000馬力

計画：昭和12年度
建造所：三菱長崎造船所

昭和13年3月29日起工
15年11月1日　進水
17年6～7月　　徳山～呉間で公試中

17年8月5日　　竣工、戦艦に類別
17～19年　　　太平洋戦争。マリアナ沖海戦、比島沖海戦（19年）等に参加
17年9月下旬　21号電探装備実験中

17年10月30日　旋回公試中

18年1月18日　トラック島に向けて呉より出港
18年2月11日　連合艦隊旗艦となる
18年　　　　　トラック島泊地　左は大和

18年5月17日　山本五十六長官の遺骨を載せてトラック島を出港
18年5月22日　木更津着
18年6月9日　　横須賀に移動
18年6月　　　館山沖の武蔵　左方山城

18年6月24日　昭和天皇行幸
18年6月　　　武蔵に行幸した昭和天皇

18年7月31日　トラック島に向けて呉出港
19年3月29日　パラオ西水道で米潜水艦TUNNYの雷撃を受け損傷
19年4月10日
　～22日　　　呉工廠で修理
19年6月15日　ギマラス出撃
19年6月19日　マリアナ沖海戦参加
19年10月21日　ブルネイ湾

19年10月22日　捷一号作戦により、レイテ湾の米輸送船団攻撃のためにブルネイ出撃
19年10月22日　レイテ湾に向けて出撃する長門、武蔵、大和（右から順に）（ブルネイ湾）

19年10月24日　午後7時35分、比島沖海戦時、シブヤン海で米空母機の雷爆撃を受け沈没
19年10月24日　沈み行く武蔵（シブヤン海）

20年8月31日　除籍

呉市海事歴史科学館 くれしかいじれきしかがくかん

通称、「大和ミュージアム」。平成17年4月23日、広島県呉市に開館。明治以降の日本の近代化の歴史そのものである「呉の歴史」と、その近代化の礎となった造船、製鉄をはじめとした各種の「科学技術」を、先人たちの努力や当時の生活・文化に触れながら紹介。そして、我が国の歴史と平和の大切さを認識してもらうとともに、科学技術創造立国を目指す日本の将来を担う子どもたちに科学技術の素晴らしさを伝え、未来に夢と希望を抱けるような「呉らしい博物館」を目指している。

所在地:広島県呉市宝町5-20
電話:0823-25-3017(代表)
　　　http://www.yamato-museum.com/
開館時間:午前9時〜午後5時(展示室・ライブラリー)
　　　火曜休館(祝日の場合は翌日休館)

監修者紹介
戸髙一成 とだかかずしげ

1948年宮崎県生まれ。多摩美術大学卒業。財団法人史料調査会主任司書、同財団理事。厚生労働省所管「昭和館」図書情報部長を経て、現在、呉市海事歴史科学館(大和ミュージアム)館長。著書、共著に『戦艦大和復元プロジェクト』(角川新書)、『日本海軍史』(第一法規)、『日本海軍全艦艇史』(KKベストセラーズ)。対談に、『日本海海戦かく勝てり』(PHP研究所)。監訳に『マハン海軍戦略』(中央公論新社)他がある。

呉市海事歴史科学館図録　日本海軍艦艇写真集別巻
戦艦大和・武蔵

2005年 4月14日　第 1 刷発行
2020年11月 5日　第10刷発行

呉市海事歴史科学館　編
監修者　戸髙一成
発行所　ダイヤモンド社
　　　　150-8409　東京都渋谷区神宮前6-12-17
　　　　https://www.diamond.co.jp
　　　　電話03・5778・7233(編集)03・5778・7240(販売)
装幀・本文デザイン　重原 隆
本文DTP製作　伏田光宏(F's factory)
製作進行　ダイヤモンド・グラフィック社
印刷　大日本印刷
製本　大日本印刷
編集担当　佐藤和子　酒巻良江

©2005 Kure Maritime Museum, Kazushige Todaka
ISBN 4-478-95054-7
落丁・乱丁本はお取替えいたします
無断転載・複製を禁ず
printed in Japan

◆ダイヤモンド社の本◆

戦艦大和 設計と建造

DESIGN AND CONSTRUCTION OF THE "YAMATO"

増補決定版
大和型戦艦主要全写真＋大型図面　主要論文4編＋松本ノート

戸高一成 編　松本喜太郎 著

海底に沈む大和等の貴重な未発表カラー写真を今回、新たに加えて、戦艦大和の設計関係者による貴重な資料・研究論文を収録した名著を決定版として復刊！　ファン待望の保存版。

貴重な未発表写真を掲載したカラー口絵
- 「海底に眠る大和」「海中の戦艦長門」
- 「呉市海事歴史科学館展示の『10分の1大和』建造経過」
- 「特攻出撃前の大和の最後の姿」

● A4判上製● 344ページ●定価（本体20000円＋税）

http://www.diamond.co.jp/

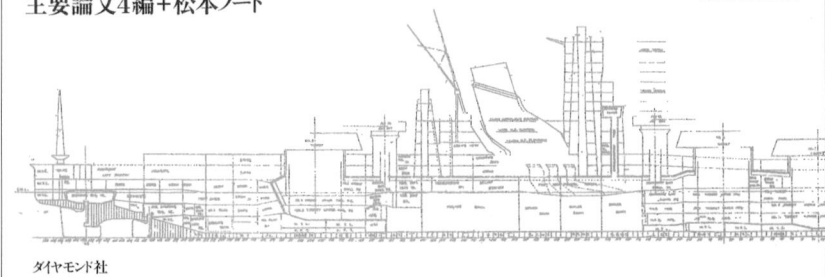